Oriel y Bardd

Dyfyniadau doeth a difyr o waith y beirdd

Golygwyd gan
D. GERAINT LEWIS

yn ei enw Ef

Cyhoeddiadau
barddas

ⓒ D. Geraint Lewis / Cyhoeddiadau Barddas ©
Hawlfraint y cerddi: ⓒ y beirdd a'r gweisg ©

Argraffiad cyntaf: 2023

ISBN 978-1-91158-459-9

Cyhoeddwyd gan Gyhoeddiadau Barddas.
www.barddas.cymru

Mae'r cyhoeddwr yn cydnabod
cefnogaeth ariannol Cyngor Llyfrau Cymru.

Y clawr a'r dyluniad: Tanwen Haf.

Argraffwyd gan Wasg Gomer.

Oriel y Bardd

*Dyfyniadau doeth a difyr
o waith y beirdd*

Golygwyd gan
D. GERAINT LEWIS

Cyhoeddiadau
barddas

DIOLCHIADAU

i Barddas am ei pharodrwydd i ymgymryd â'r casgliad
i Alaw Mai Edwards am osod y gwaith ar ben ffordd
ac i Elena Morus am ei gwaith yn gwastatáu ac
yn unioni'r ffordd honno er mwyn cyrraedd pen
y daith yn ddiogel; i Tanwen Haf am y gwaith
dylunio ac i'm hoff Lyfrgell Ceredigion
am wasanaeth parod dros gyfnod hir o amser.
Am unrhyw fefl neu fai a erys, fy eiddo i ydynt.

CYNNWYS

RHAGYMADRODD

Wrth ymyrraeth â chwi oll ac un,
Mi gefais gip ar f'anian i fy hun.
T. H. Parry-Williams

Cofiaf i'r prifardd Mererid Hopwood ddweud bod modd dirnad
ystyr barddoniaeth, heb o raid ddeall pob gair. Dyna, rwy'n credu,
a ddigwyddodd i mi pan oeddwn yn ddysgwr yn Ysgol Ramadeg y
Bechgyn Pontypridd ac yn ceisio darllen cerddi gan T. Gwynn Jones,
Gwenallt, R. Williams Parry a T. H. Parry-Williams.

Drigain mlynedd yn ddiweddarach, rwy'n ystyried fy mod wedi cael
fy mendithio i gael ymwneud â'r gyfrol hon mewn cyfnod wedi oed yr
addewid: yng ngeiriau Alan Llwyd:

Cedwaist Ti dy addewid, Dduw,
a rhoddaist imi, wrth gyflawni dy addewid i ddyn,
y rhodd werthfawrocaf erioed, y fraint odidocaf erioed.
Dy rodd oedd y cyflawnder o ddyddiau
a gefais gennyt yn gyfoeth ...

Epiffani
Wrth ddarllen cyfrolau'r beirdd, yn enwedig ein beirdd cyfoes, cefais fy
meddiannu gan eu gwaith. Dechreuais yn lladmerydd dros y darllenwyr
nad oedden nhw'n deall barddoniaeth, ond erbyn y diwedd, bûm yn talu
gwrogaeth i'r beirdd ac rwy'n ymddiheuro am ddethol darnau o'u gwaith,
neu am beidio â chynnwys gwaith rhai beirdd o gwbwl 'am nad oedd lle
yn y lletty'.

Rwy'n ceisio mynd beth o'r ffordd i ateb pryder T. Llew Jones:

Pan na cheir byth ddyfynnu'r
Un llinell fach o'm gwaith
A phob rhyw gerdd a luniais
Yng nghôl yr Angof maith.

'The medium is the message' meddai Marshall McLuhan. Dyma'r 'dweud'
sydd mor arbennig – 'o'r glust i'r galon'.

Y Canu Caeth yw Cymru a'r Gymraeg

Fel y mae fframwaith tyn y delyn yn gadael i dant rhydd ganu, felly o fewn fframwaith mesurau caeth Cerdd Dafod mae cân y bardd yn cael ehedeg. Fel y dywed Ceri Wyn Jones:

> Pan ganaf fe weithiaf i
> adenydd o'i chadwyni.

Nid cadwynau sy'n cynnal iaith ond y gwawn sy'n gweu caneuon, y rhain sy'n costrelu athrylith yr iaith *Zeitgeist*, sef byd-olwg y beirdd: 'Y mae barddoniaeth yn fynych yn ddrych o gyflwr diwylliant cenedl,' chwedl Saunders Lewis.

Man cychwyn y gwaith oedd fy ymateb i brif feirdd chwarter olaf yr ugeinfed ganrif. Roeddwn wedi dwlu ar Dic Jones, wedi galaru gyda Gerallt Lloyd Owen, wedi cael fy syfrdanu gan Gwyn Thomas ac wedi darganfod yng ngwaith Ceri Wyn Jones pethau sydd yn 'fwy trist na thristwch' nad wyf wedi gallu eu gosod ar bapur yn y casgliad hwn.

Ond yr hyn a'm trawodd yn fwy na dim wrth ddarllen gwaith cenhedlaeth newydd o feirdd a phrifeirdd oedd bod cymaint o'r lleisiau hyn yn feirdd benywaidd gyda'u safbwyntiau gwahanol a'u mynegiant gwahanol yn rhoi chwistrelliad o ynni newydd mewn hen, hen draddodiad.

> Tra'n iaith hardd, tra bardd yn bod
> ei ddweud ef fydd Cerdd Dafod.

medd Karen Owen. Neu yng ngeiriad doniol Caryl Parry Jones:

> Fi'n cael e bois, fi'n cael y nac,
> fi'n cael i gyd o'r iaith,
> ac unrhyw ffordd, mae *motto* fi'n
> 'Hir Byw am Canu Caeth'.

O gyfeirio at fyd-olwg y beirdd, fel adlewyrchiad o'n cyflwr ni fel cenedl yng nghwarter cyntaf y mileniwm newydd, rhaid oedd troi yn ôl at y man y cychwynnais i, at fardd ac ysgolghaig ymhlith y mwyaf dylanwadol, yr Athro Brifardd Mererid Hopwood. Yn ei chyfrol *Dychmygu Iaith*, mae'n defnyddio ei harbenigedd fel academydd i dreiddio i hanfod iaith o safbwynt yr athronydd a'r ieithydd; mae'n defnyddio ei meistrolaeth ieithyddol a'i greddf farddol i archwilio gwaith beirdd mewn ieithoedd lleiafrifol eraill o bedwar ban byd ac yn archwilio'r ffyrdd y maen nhw'n cyfuno eu geiriau mewn patrymau sain sy'n dod at ei gilydd i gynnig posibiliadau newydd. Ei chasgliad yw bod yna deyrnas y tu hwnt i derfyn – 'teyrnas y *Mynegiant O Bosibl*'.

Yn ei dadansoddiad o 'Yr Heniaith' Waldo Williams mae'n dangos sut y mae'r bardd Cymraeg wedi cyrraedd y deyrnas hon trwy ailgylchu hen eiriau cyfarwydd yn fynegiant newydd. Mae hi'n agor ffenestr yng ngwawn geiriau'r hen draddodiad barddol lle y gellir gweld iaith yn croesi ffin ac yn ymestyn ei thiriogaeth i fynegiant o'r hyn sy'n bosibl – yr hyn sy'n bosibl yn ein dyfodol ni Gymry Cymraeg.

D. Geraint Lewis
Llangwrddon, Gwanwyn 2023

1. Beirdd a barddoni

1.1. Bardd

1   A hudwn â'n cenhadaeth, â ninnau
      yn canu awdlau ym mhob cenhedlaeth.
      Aneirin Karadog

2   Ac o'i enaid, egino
      a wnaeth hadau'i eiriau o.
      Tudur Dylan Jones

3   Bûm foda, bûm farcud, yn brin ond yn beryg,
      bûm dlws, bûm Daliesin, bûm yn crwydro Rhos Helyg,
      bûm garw, bûm gorrach, bûm yma yn niwyg
      pregethwr, tafarnwr, breuddwydiwr, a bardd ...
      Iwan Llwyd

4   Canodd ei gân yn gyfalaw i derfysg Dyn,
      Canodd hi, ac nid yw ein llên yr un.
      T. H. Parry-Williams

5   Er ei boen, er ei benyd,
      a gano fawl gwyn ei fyd.
      Iorwerth H. Lloyd

6   Fe roddwyd y wefr iddo, dieithr hud
         a thrydan y cyffro.
      Iolo Wyn Williams

7   Dod â thrymlwyth o bwythau a wna'r bardd;
         Dwg i'r byd, trwy'r craciau,
       Yr hen wawr sydd yn prinhau
       A rhoi synnwyr i'w synau.
      Osian Rhys Jones

8   Ond beth yw pwrpas bardd mewn lle fel hyn?
      Ai sylwi ar y diffyg deall sy'n y byd?
      Ai ad-drefnu'r ystyr sydd i'r geiriau hyn i gyd?
      Neu, efallai, grio uwch diniweidrwydd plant a'u llygaid syn?
      Dafydd John Pritchard

9   Tra bo amser, bydd clerwr,
      tra bo dydd, bydd trwbadŵr.
      Tudur Dylan Jones

10   Un a wêl y manylyn, – un am weld
      yn y mynd diderfyn ...
      Geraint Roberts

beirdd o'r wlad

11 Bardd bach cyffredin o'r wlad wyf fi
Heb fawr o addysg na'r un digrî.
Ni wn beth yw rhithm na 'chwaith beth yw acen
Ond gwn pan fo pennill cyn fflated â chacen.
D. Jacob Davies

rapwyr

12 Y bois cŵl, y bois caled
yn strytio crefft eu *street cred*
yw'r gang sy'n rapio ar goedd
i drawiadau y strydoedd.
Ceri Wyn Jones

13 Y rapwyr hip yw'r rhai hyn,
y dewiniaid di-dennyn.
Eurig Salisbury

stompwyr

14 Ar gynghanedd fe feddwant,
yfed o hyd am fod whant
craic y creu a'r cwrw cry'
dua' oll i'w diwallu ...
Ceri Wyn Jones

15 Os y dasg ydyw creu stŵr,
os twmpath ydyw'r stompiwr,
ni wn wir a ddylwn i –
wyf wir ddawnus! – farddoni.
Tudur Hallam

sgwennwr

16 Dawn yn glir ar dudalen,
crebwyll ymhleth â chystrawen
yn creu byd hud o eiriau
sy'n denu fel cusanau ...
Sian Northey

1.2. Awen

17 A dau raid ei chryfder hi
Yw diléit a dal ati.
Dic Jones

18
A ddeui o ddyfnder yr eigion,
neu ddwndwr yr ewyn gwyn:
o byllau y crancod a'r perlys,
neu hewian gwylanod syn?
A ddeui, o'r tonnau, yn feistr ffraeth,
i arwain fy mysedd hyd dywod y traeth?
Sian Owen

19
Dibarhad yw'r eiliad brin
A gwefr y foment gyfrin ...
Idris Reynolds

20
(i'r Beltsolari, cantorion penillion byrfyfyr Gwlad y Basg)
Barddoni gyda gwn wrth dy ben:
pam dewis byw fel hynny?
'Pam lai?' meddan nhw.
'Pwy sydd angen "Awen"
pan fedri di redeg ras ag amser
a dawnsio ar ddibyn celfyddyd?'
Gruffudd Owen

21
Clywaf ar yr awel – un gerdd ...
    I gorddi o'r dirgel;
     Daw y gân â breuddwyd gêl
      I'm byd mewn ennyd anwel.
Dienw

22
Hel â rhaw y glaw a'r gwlith
Yw rheoli athrylith.
Huw Meirion Edwards

Llong Wen yr Awen
23
Hwylio'n nes i'm calon 'wnaeth
ei chaban o achubiaeth.
Yn dafarn o gerdd dafod,
gwin geiriau drwy donnau'n dod.
Yn ei howld roedd f'awen i
yn gannoedd o gasgenni.
Meirion MacIntyre Huws

24
'Run yw'r creu yn roc-a-rôl,
mae'r ias yr un mor oesol.
Ceri Wyn Jones

1.3. Barddoni

25   A fedd dy holl gelfyddyd
unrhyw gerdd sy'n wir i gyd?
Tudur Dylan Jones

26   Ai gwell cadw'n ddistaw na bod yn fardd gwan?
Ai gwell bod yn dawel na llunio cerddi sâl?
Ai gwell peidio â thrio na sgrifennu cerddi crap?
Onid gwell peidio â mentro na bod yn fardd gwael?
Pan ddaw rhyw wefr ddi-ffael o drin geiriau
pa eisiau sydd iti roi ffrwyn ar dy awydd?
Rho adenydd i'th awen – a cher gyda'r llif!
Christine James

27   Barddoni ydi
Bod mewn cors hyd at eich gwddw
Yno'n suddo, yno'n geirio,
A neb o gwbwl yn gwrando.
Gwyn Thomas

28   Boed i'th gerddi wrthod tyfu i fyny
er mynd i oed;
boed iddynt fod yn ddannoedd i'r rhai sy'n rheoli
yn gur pen i'r drefn,
ac i bob gwaith papur
yn gic yn y tin ac yn boen yn y cefn ...
boed iddynt gyrraedd y galon –
a chanu.
Myrddin ap Dafydd

29   Geiriau'n hiaith mewn deigryn hen,
gwewyr sy'n hŷn nag awen.
Tudur Dylan Jones

30   Llawenydd mewn un llinell.
Hywel Griffiths

31   Uno sain gyda synnwyr.
Tudur Dylan Jones

32   Gair i gofio,
gair atgoffa,
gennyt ti
mae nerth y geiria.
Anni Llŷn

1.4. Cerdd Dafod

33 Crap a gaf ar gerdd dafod;
cneciau lu y canu clod.
Eurig Salisbury

34 Eiriwr y llinell gywrain,
A synnwyr y gyseinedd bersain.
Dic Jones

35 Fi'n cael e bois, fi'n cael y nac,
fi'n cael i gyd o'r iaith,
ac unrhyw ffordd, mae *motto* fi'n
'Hir Byw am Canu Caeth'.
Caryl Parry Jones

36 Pan fo'n heno'n llawn anhunedd, mae modd
i'r meddwl gael gorwedd
o'i wreiddio'n nwfn rhuddin hedd,
yng ngho' hŷn ein cynghanedd.
Aneirin Karadog

37 Tra'n hiaith hardd, tra bardd yn bod
ei ddweud ef fydd Cerdd Dafod.
Karen Owen

38 Wy'n gaeth i'r gerdd, ei hing a'i hangerdd,
rhaid imi roi'r gorau i farddoni.
Aneirin Karadog

cynghanedd

39 Ei phlant cyfoes ac oesol
a enir ohoni'n dragwyddol.
Robin Llwyd ab Owain

40 Gŵn hardd a frodiwyd gan hil
yn addurn i'w chorff eiddil.
Alan Llwyd

41 Hen waedd ein hesgyrn eiddil
yw'r hen iaith ym mêr ein hil.
Ceri Wyn Jones

42 Mae gyd o ffrindiau ysgol fi yn dweud i fi fi'n sgwâr
Ond onest, mae'r Cynghanedd peth 'ma'n rili troi fi ar ...
Caryl Parry Jones

43 Pan ganaf fe weithiaf i
adenydd o'i chadwyni.
Ceri Wyn Jones

44 Yn enaid yr awenydd – ei geiriau ...
    Drwy eu sain a'u hystyr sydd
      Yn galw ar ei gilydd.
Dic Jones

englyn

45 An-noeth amlhau geiriau, gwell
Yw'r llun mewn pedair llinell.
Derwyn Jones

46 *haicw*
Mae dweud y cwbwl
mewn dwy sillaf ar bymtheg
yn gwbwl amhos
Ceri Wyn Jones

Talwrn y Beirdd

47 Ein Talwrn di-ddwrn a ddaeth
yn Dalwrn ein brawdoliaeth.
Gerallt Lloyd Owen

48 Pan wy'n llwyd fy mreuddwydion – yn isel
    Ar risiau prydyddion,
     Yn syth 'rôl y gyfres hon
      Wele, codaf fy nghalon.
Einion Evans

#talwrnfatigue

49 Y mae cynnal Y Talwrn
'rôl rownd neu ddwy'n fwy o fwrn.
Diffaith pob gobaith am gerdd –
diergyd fy nhrydargerdd.
Llion Jones

2. Byw, bod a pheidio â bod

2.1. Byw

50 Beth ond hapchwarae yw byw?
Saunders Lewis

51 Beth yw byw? Cael neuadd fawr
Rhwng cyfyng furiau.
Waldo Williams

52 Murddun yw byw. Ninnau, mynnwn ei drwsio
at ddiddosrwydd.
Menna Elfyn

53 Nid croesi cae yw byw.
Cywir: croesi traeth ydyw.
Gwyn Thomas

bodolaeth

54 Bydded, darfydded,
a bydded eto:
dyna ydyw'r cylchdro,
dyna ydyw olwyn bodolaeth.
Gwyn Thomas

55 Dau derfyn bod a darfod,
hoe rhwng doe a'r hyn sy'n dod.
Aled Rhys Wiliam

56 Nid oes yng ngwreiddyn Bod un wywedigaeth.
Waldo Williams

57 Un yw craidd cred a gwych adnabod
Eneidiau yn un â'r rhuddin yng ngwreiddyn Bod.
Waldo Williams

dim

58 Newydd yw'r grym
sy'n creu er y dechrau yn dda iawn o ddim.
Gwyn Thomas

2.2. Bywyd

59 Rhodd enbyd yw bywyd i bawb.
Saunders Lewis

60 Brau yw einioes fel brwynen ...
Geraint Bowen

61 Daw i ben ein bywyd byr,
mor ddistaw, mor ddiystyr.
Roger Jones

62 Bydda i'n meddwl weithiau fod bywyd
yn debyg iawn i ddal bws
yn Donostia ...
– ond pa fws?
Pa rif? Pa arhosfan?
Pa ochr i'r stryd hyd yn oed?
A sut, wedyn ...
mae codi tocyn?
Dafydd John Pritchard

63   Byr yw'n hoes yn y bryniau hyn.
Gwên llwynog yw'n llawenydd
a brain y mynydd yw'n bore'n myned,
yn llithro heibio i'w hynt
o'r bryniau geirwon lle mae'r bara'n gerrig.
Gwynfor ab Ifor

64   Dedwydd mewn adfyd ydwyf
a phrudd mewn llawenydd wyf.
Alan Llwyd

65   Ein ber oes sydd yn llestr brau
wrth angor ar draeth angau.
R. O. Williams

66   Gwynfyd o febyd i fedd yw bywyd.
Geraint Bowen

67   Ni waeth pa bennaeth y bôt,
âi heibio fywyd hebot.
Dic Jones

68   Nid ei hyd yw hanfod oes.
Einion Evans

69   Ond wrth groesi'r traeth, tua'r canol,
dyma fo'n fy nharo i'n ysgytwol,
mai un waith y mae hyn yn digwydd ...
Gwyn Thomas

einioes

70   Os oes mellt mewn glaswelltyn – a chynnwrf
        A chân ym mhob gwlithyn
       A llachar fyd mewn llychyn,
      Ba ryw storm yw ber oes dyn?
B. T. Hopkins

71   Pan ddeffry'r nwyd anfarwol yn y fron
A'r hen wrthryfel sydd yng nghuro'r gwaed
Nid oes a saif ar lwybr antur hon.
J. M. Edwards

72   Un ias dwym yw einioes dyn;
Ddoe'n llachar, heddiw'n llychyn.
Huw Meirion Edwards

2.3. Dyn a dynoliaeth

73   Â llaw hael, gwella'i elyn
a wna'n llwyr, yna lladd ei gyd-ddyn.
Andrea Parry

74   Dyn, hud breuddwydion ydyw
a wnaed o boen yn gnawd byw.
Thomas Parry

75   Fe ddeil pangfeydd ei alaeth – tra bo co',
Ei dawn i wylo yw gwerth dynoliaeth.
Dic Jones

76   Hŷn na'r gylfinir a glywaf heno
yw'r ias ddiyngan drwy'r oesoedd ango',
hiraeth nad oes mo'i eirio, rhyw hiraeth
hŷn na dynoliaeth, fel Duw yn wylo.
Gerallt Lloyd Owen

77   I beth y daeth hwn i'r byd â'i lygredd
a'i daflegrau ynfyd?
Mathonwy Hughes

78   Mae'n ei weddi a'i ddiod,
ei ddiawl a'i dduw'n byw a bod.
Ynyr Williams

79   Pan gaiff dyn ei fesur, gofynnir gan Dduw
nid sut y gwnaeth farw, ond sut y gwnaeth fyw.
John Gwilym Jones

80   Yn eonau fy anian fe wylaf
      fy eiliad fy hunan,
    a'r un modd, yn yr un man
    wylaf gof yr hil gyfan.
Gerallt Lloyd Owen

Adda

81   Mae asen
yn *missing* o 'nghanol
Efa, ac mae'n ddifrifol
o llwm heb ddim botwm bol.
Dic Jones

dyn call

82   Y byd ffast yw byd y ffŵl ...
    drwy wibio ei di i drwbwl,
    y dyn call ydy'r dyn cŵl.
Meirion MacIntyre Huws

dyn cyffredin

83 Ond, â'i air holiadurol,
hwn ydyw piniwn y pôl.
Penrhosgarnedd

2.4. Henaint

84 Ai'r clai a weli heddiw ydi'r dyn
neu ai'r crochenydd ifanc oedd yr un?
Myrddin ap Dafydd

85 Erioed, yr hiraeth gwaethaf yw hiraeth
hen ŵr yn ei aeaf
yn hiraethu i'r eithaf,
am oriau, am ddyddiau'i haf.
Donald Evans

86 Gwelais drothwy'r gaeaf,
ar ôl blin oeri'n araf,
i le na wn, cilio wnaf.
Iorwerth H. Lloyd

87 Henaint, heno: a beth yn union ydi-o?
Hyn: cosb ydyw am ein bod ni wedi byw.
Gwyn Thomas

88 Hyd y wlad dan leuad wlith
daw lladron hud a lledrith
yn ofalus o filain,
sydd am hel â'u bysedd main
barrug-gwyn, holl asbri'r cof
a dwyn fy myd ohonof.
Emyr Lewis

89 I ieuengoed henoed wyf
ac i 'nhad bachgen ydwyf.
Tudur Dylan Jones

90 Mae pob un sy'n hŷn na ni
erioed yn henoed inni.
Tudur Dylan Jones

91 Pan fydda i'n hen ŵr
caf actio unwaith eto mewn drama
fel yn nyddiau ysgol.
Am un noson yn unig
caf y rhyddid i ad-libio'r holl linellau,
gan mai fy nrama i fydd hon.
Aled Lewis Evans

92   Trwy'r niwl yn rhith daw hithau
       o'r tir llwyd yn freuddwyd frau.
       Haf Llewelyn

93   Y rhai iau sy'n ddoeth erioed,
       y rhai annoeth yw'r henoed.
       Emyr Jones

2.5. 'Ynof, fe ddeffry'r wennol ...'

94   Ond er llwyddo i'w hudo'n ôl
       y llencyn sy'n absennol.
       Donald Evans

camfa

95   Neidiwn hi'n iau heb oedi, yna'n hŷn
            mynnwn hoe cyn croesi ...
        a hon mwy yw'r ffin i mi.
       Aberteifi

cist

96   Rhoddaist dy drugareddau – yno'n glyd
          dan glo dy feddyliau,
        ond rhydodd dy oriadau
        a'r gist sydd bellach ar gau.
       Gruffudd Owen

clirio tŷ

97   Heddiw mae hwn yn diodde
       yn y llwch wrth wagio'r lle,
       rhoi yn saff yr hanes hir
       a geriach rhai a gerir ...

       Mae dyddiau dau wedi'u hel
       i undydd yn un bwndel ...
       Geraint Roberts

edau

98   Brau ei we a byr ei hyd
       yw edafedd rhwng deufyd.
       Gwilym Fychan

99   'Run fath â'm siwrnai fy hun
       byrhau mae'r edau wedyn.
       Crannog

ffarwelio

100 Cyn hir fe'm delir innau
      Tan glo'r dieithrwch mawr,
A bydd y tŷ yn ddistaw
      A'r llenni i gyd i lawr.
T. Llew Jones

101 Gwasgaru fel gleiniau ar grawiau,
nes daw cortyn colled
i'n clymu eto.
Sian Northey

gadael

102 Gadael modrwyau, cof bod yn briod,
Gadael poer a chwmni tafod.
Gadael enw, anghofio llofnod ...
Gadael anadlu, pob dawn adnabod.
Gadael y gollwng a gochel y gwybod.
Gadael ymadael. Peidio peidio â bod.
Gwyneth Lewis

rhodio

103 Rhodio, lle gynt y rhedwn
J. T. Jones

2.6. 'Lle heno eira llynedd?'

adfail

104 Lle adar y gwyll ydyw
A man oer anghymen yw.
T. Llew Jones

cofio

105 A'r llwybrau a geiriau'r gân
yn y cof yn gylch cyfan.
Idris Reynolds

106 Am un annwyl mae'r wylo'n
Ddafnau cudd o fewn y co'.
Dic Jones

107 Mae ein cof fel meini cudd
yn sail i res o welydd.
'Mond pellter amser a wêl
linell yr ymyl anwel.
Hywel Griffiths

108 Paid byth â dod i ollwng dagrau uwch fy medd,
ond gad i hwyl a chwerthin yr atgofion darfu'r hedd.
Cen Williams

109 Rhydd briwsion atgofion gau
o hyd fwyd i ofidiau.
John Penry Jones

110 Taenaist dusw yn ddafnau,
yn blu trwy dy ddagrau –
cofio'n gynnes iawn y dyddiau
a dreuliaist yn ei freichiau.
Caryl Bryn

111 Twyllwr yw'r cof: dethol y mae'r bendithion;
    dewis y da a diystyru'r drwg;
arddel pob atgof doeth, dileu'r melltithion;
    coledd pob gwên, claddu pob gwawd a gwg ...
Alan Llwyd

112 Un funud fach cyn elo'r haul o'r wybren,
    Un funud fwyn cyn delo'r hwyr i'w hynt
I gofio am y pethau anghofiedig
    Ar goll yn awr yn llwch yr amser gynt.
Waldo Williams

113 Y mae ynom bob munud
hen ddoe sy'n heddiw o hyd.
Ceri Wyn Jones

114 Ynof y mae rhyw dannau
yn tiwnio heb eu tynnu weithiau.
Penllyn

edrych yn ôl
115 Gweld y jwg ar silff y dreser,
gweld dim ond ei sglein o bellter,
ond wrth imi estyn ato
gwelaf ddoe a'i graciau ynddo.
Ann Fychan

116 Ni chei'n hawdd wrth edrych 'n ôl
un adwy i'r dyfodol.
D. T. Lewis

117 Rywbryd i bob un fe ddigwydd
Iddo edrych dros ei ysgwydd,
Ond pan wnelo hynny, cofied,
Ag un llygad bydd yn gweled.
Dic Jones

118 Ac nid oes ffoi rhag y crafangau dur
sy'n cydio oes wrth oes a chur wrth gur.
T. Glynne Davies

119 A hiraeth yn tyneru
I ail-fyw yr hwyl a fu.
Dic Jones

120 Cofiwch mai'r hiraeth gwaethaf
yw'r hiraeth o'r oriau dedwyddaf.
Donald Evans

121 Gefn nos, does aros sy' waeth
na hen aros mewn hiraeth.
Tomi Evans

122 Hen ŵr â'i gyflwr yn gaeth
ddeil i hau erwau'r hiraeth.
J. Ieuan Jones

123 Hiraeth ni phery byth, er oedi'n hir;
ond hen yw'r sawl a ŵyr fod hynny'n wir.
T. Llew Jones

124 Hiraeth tu hwnt i eiriau
yw bywyd un lle bu dau.
Huw Meirion Edwards

125 Ni welais hiraeth yn wylo unwaith.
  Calon bren sydd ganddo ...
T. James Jones

126 Un rhan hen o'r hyn a aeth
yn aros, dyna hiraeth.
James Nicholas

127 Ynom o hyd yn gof maith mae deigryn
    sydd yn hŷn na'n heniaith,
      rhyw ddistyll o'r llwydwyll llaith ...
Tryweryn

2.7. Marwolaeth

128   Angau ni wêl angen iaith,
mae'n meimio yn ein mamiaith.
Gerallt Lloyd Owen

129   *(Esyllt)*
Amdo wen fel madonna, – yn storom
    Y distawrwydd eitha',
   Ar ei bron cenhadon ha',
   A'i grudd fel gardd eira.
Dic Jones

130   Daeth marwolaeth mor wylaidd –
daeth heb rwysg, yn fendith braidd ...
Emyr Lewis

131   Dyn nid yw'n bod ond unwaith
a bedd yw diwedd y daith.
Moses Glyn Jones

132   Llond capel o dawelwch
o barch i lond arch o lwch.
Dic Jones

133   O weld y diwedd daw'r dechrau'n glir ...
cri y gyntaf waedd yw'r olaf gnul.
Catrin Dafydd

angladd

134   *(Tad a'i Ferch)*
Dod o fedd a'u galar yn ymgeledd ...
    am i'r awr ddwys rwymo'r ddau'n
    gyfoedion mewn gofidiau.
Meirion MacIntyre Huws

135   Ddoe i'r fynwent aeth plentyn,
ohoni ddoe daeth hen ddyn.
Gerallt Lloyd Owen

bedd

136   'Gwely ango
yw'r ddaear glo:
yma'n huno – y mae heno.'
Aled Lewis Evans

beddargraff

137 Rhoddwch fy nghorff dan briddyn
ysgafn, fel y gall y glaw ddisgyn,
yn fân, fân ar fy wyneb ...
Alan Llwyd

cloch

138 Fe genir yn glir y gloch
olaf ni waeth lle'r eloch.
Mari Lisa

colled

139 A'r ddôr yn gilagored, – un yn llai
at ein llan sy'n cerdded,
un â'r iaith fu'n rhan o'i gred,
un yn llai o'r cyn lleied.
Geraint Roberts

140 Y llong a gyll ei hangor
Mae ar drugaredd y môr.
Dic Jones

difodiant

141 I bob un sydd yn bod
Y mae amser yn dod
Pan y mae bywyd,
Yn derfynol yn dywedyd,
'Dwyt ti, rŵan, yn dda i ddim byd;
Dwyt ti, rŵan, yn dda i ddim i neb.'
Gwyn Thomas

142 Mae mwynder ennyd yn mynd ar unwaith,
Yr haul a wariwn ni welwn eilwaith,
Na sêr yn gwibio fel seiren gobaith
Drwy awyr wydyr breuddwydiol frodwaith.
Fe oerwn o'n llafurwaith; – diflannu
O wên ein teulu, o fryniau'n talaith.
Gwynfor ab Ifor

143 Mae pob dyn, mae pob enaid byw sydd yn bod
wedi'i bennu – rhag ei waethaf – i ddarfod.
Saunders Lewis

144 Ond, byddarol fudandod
yr eco o beidio â bod.
Aberhafren

145 Pob un ar ei ben ei hun yn ei ddull ei hun
piau ei farw ei hun ...
Saunders Lewis

llwch

146 Dyn a luniwyd ohono – ar ddelw Iôr
Hardd ei lun a'i osgo,
A'r eilwaith, wrth ffarwelio,
I chwâl lwch y dychwel o.
T. Llew Jones

trai

147 Dros draeth y dyrys drothwy
y mae'r mud yn y môr mwy.
Ieuan Wyn

3. Amser

3.1. Treigl amser

148 Amser yw balm oesau'r byd –
A bai creulonaf bywyd.
Dic Jones

149 *(yn ystod Covid)*
Dyma ni, ar ganol amser sero –
ble gallai rhywun fynd o'i go'
ac yno,
fe wnawn bendilio
rhwng ofni a gobeithio,
rhwng chwerthin a chwato,
rhwng byw'n fychan a breuddwydio.
Elinor Wyn Reynolds

150 Er rhoi o'i gyfoeth mor hael, dwg hefyd
y cyfoeth o'n gafael;
ar goll mae eto ar gael,
yn oedi er ymadael.
Alan Llwyd

151 Mesurwn yr amserau
sy'n cario holl bwysau'n bydoedd.
Menna Elfyn

152 Mae'r dyddiau fel ceffylau ffair yn ffoi,
yn ffoi heb fynd o'r unfan, gogor-droi ...
Alan Llwyd

153 Mae'r fflam sy'n llosgi amser
yn lleihau fel cannwyll wêr.
Tudur Dylan Jones

154 Nid wyf ond ysbaid o wêr,
nid wyf ond ennyd ofer.
Gerallt Lloyd Owen

155 Ti sy'n llywio rhod yr amser
ac yn creu pob newydd ddydd ...
ti yw grym ein bywyd ni,
rwyt Greawdwr a Chynhaliwr,
ystyr amser ydwyt ti.
W. Rhys Nicholas

awr

156 Araf yw'r awr wrth gyfrif yr oriau.
Emrys Edwards

157 Oriau du â'n ara deg,
oriau hudol sy'n rhedeg.
D. J. Jones

158 Y mae awr yr oriau mân
yn hwy na'r nos ei hunan.
Idris Reynolds

cloc

159 Acw o hyd mae'n ticio, mesurir
fy amseroedd ganddo.
Tom Bowen Jones

160 Cyson dic-toc y clociau yn oesol
sy'n mesur fy oriau.
Dic Goodman

161 Mae'r cloc yn dal i docio
hyd a lled ei wella o,
yn ŷd ei oes mae bys dur
eiliadau fel llafn pladur.
Hywel Griffiths

cloc capel

162 Ond er gwneud stumiau ar funudau ffydd
a bygwth tynnu'n groes, fe wyddai'r cloc
yn iawn na allwn ffoi na thorri'n rhydd
rhag siant y pendil mawr o flaen y doc ...
Llion Pryderi Roberts

ennyd

163 Nid yw Hanes ond ennyd;
a fu ddoe a fydd o hyd.
Gerallt Lloyd Owen

3.2. Gorffennol

164 Bydd gorffennol dethol dau
yn gloëdig eiliadau.
Bro Ddyfi

165 Fy nyddiau, afon oeddynt,
Mân donnau fu oriau'r hynt.
Gerallt Lloyd Owen

166 Hen ddalen fy meddyliau, hen gyfrol ...
hen fyd a hen fywydau,
a hen gownt wedi'i hen gau.
Deudraeth

167 Hen reffynnau'r gorffennol
a'n dirwyn ni adre'n ôl.
D. J. Jones

doe

168 Darllenir doeau'r llinach
Yn wyneb un plentyn bach.
Dafydd Wyn Jones

169 Pwy erioed nad yw'n parhau
I ddyheu am ei ddoeau?
Dic Jones

3.3. Presennol

heddiw

170 Adfyd yw hawddfyd ein dydd.
Alan Llwyd

171 Heddiw,
cerfiwn galon
ar fonyn coeden ein dyfodol,
a'n dwy law
yn gwasgu ei gilydd
wrth i ni fynd
tuag at y sêr.
Mari George

nawr

172   Yn awr, y cwbwl sydd yna ar ôl
       ydi ein bodolaeth ni yn y gorffennol.
       Gwyn Thomas

3.4. Dyfodol

pen-blwydd

173   Diwrnod â'th lofnod arno, – dy enw
           Dy hunan sydd drwyddo;
           Dyddiad ag ergyd iddo,
           Dy ddiwrnod di ydi o.
       Gwynfor ab Ifor

hanner cant

174   *Bum deal* yw bod yn bum deg.
       Gwynfor ab Ifor

yfory

175   Da'i fwriad yw yfory.
       Gerallt Lloyd Owen

176   Fory o hyd yw fy rhan,
       A'r awydd am gael rŵan.
       Owen J. James

177   Gŵr diarth yw yfory; dyn a ŵyr
       Ai gwg ai hanner gwên sydd ar ei wep ...
       Amynedd yw ei ddawn drwy'r oriau mân
       Cyn hyrddio'r byd yn ddall i'r golau glân.
       Huw Meirion Edwards

178   Hwyrach y daw â gwrachod, – neu hwyrach
           daw â chariad hynod,
           hwyrach y daw â Herod,
           ond myn Duw y mae o'n dod.
       Meirion MacIntyre Huws

179   Ond fel y bu erioed, mae'r dŵr
       Aeth dan y bont yn dal i droi y rhod
       Yn rhywle, a'r wawr a'r machlud lawn mor siŵr
       Â'i gilydd; mae yfory eto'n dod,
       Ond o'i ddod, heddiw ydyw.
       Dic Jones

180   Pam na cha' i gredu
mewn fory
heb orfod mynnu
gweld nyth y gog?
Karen Owen

181   Rhyw ran fach o'r hyn a fu
Yn aros, deil yfory.
T. Llew Jones

182   Yfory gadawaf
yr ynys orfoleddus, lon;
yr ynys arswydus hon
a hwyliaf i gyfeiriad gorwelion
gwahanol, i borthladdoedd gwahanol,
ac i ynys amgenach,
ond ar fin yr un môr diderfyn â'r graean mân,
a'i draeth, a'i llanw a'i drai.
Alan Llwyd

183   Dau rywle'n gynnar ar y ffordd i fory;
mae e'n rhoi'i bwysau ar y brêc
yn sydyn ... a hithau'n
gwasgu i gyrraedd yno'n gyflym.

Oedi braidd yn hir. Plannu
rhith o gusan ar ei boch. A dyna pryd
y gwelodd hithau'r golau coch.
Christine James

3.5. Blwyddyn

184   Heb wich fe ddônt yn ddi-ball, dod ar wib,
       dod ar ras anniwall ...
D. Hughes Jones

blwyddyn newydd

185   A ddaw'n Duw â blwyddyn dawel? Blwyddyn
       heb ladd na'r un rhyfel,
       blwyddyn wâr heb flaidd yn hel
       anwariaid ar y gorwel?
Aneirin Karadog

186 Boed blwyddyn gymeradwy
    yr Arglwydd wrth ein dôr,
dirwyned drwy ein dyddiau
    drugaredd hael yr Iôr:
a ni wrth borth y misoedd
    yn ffyddiog am a ddaw,
ar drothwy'r daith anesgor
    gafaelwn yn ei law.
John Roderick Rees

187 Hyn yw cri holl blant y cread,
Hyn i'n daear yw'n dyhead:
A gawn blaned lai llygredig
A chan glanach yn galennig?
Dienw

188 Mae 'na oerni yn y môr heddiw,
a dreiddia tu hwnt i'n gofalon
at y mêr.

Ond dwi wedi cadw atat Ti ...

Gan obeithio eto eleni,
y caiff cynhesrwydd parsel dy ras
ymagor ynof ...
Aled Lewis Evans

189 Ni waeth bod amaeth annhymig Ionawr
    yn mynnu'i galennig
    drud: awn ni'n dau i aredig
    yr erwau oer hyd y brig.
Tony Bianchi

Calan
190 Dydd Calan yw hi heddiw
Rwy'n disgwyl wrth y drws
I rywrai ddod i ganu
Yr hen alawon tlws.
Dic Jones

Calan 2005
191 Calan o dân, calan dig:
gelyniaeth yn galennig.
Emyr Lewis

Ionawr

192 Llidiog lyw, yn llwyd ei glog,
hen abad dauwynebog.
Dafydd Jones

Santes Dwynwen

193 Gefn gaeaf, ni fynnaf i liw dydd weld
    Y ddôl wedi rhewi ...

Ond fe wn pam fod, i fi, yr adar
    O hyd yn telori,
  A'r llwydrew yn dadrewi:
  Yn ddi-os, o d'achos di.
Eurig Salisbury

Chwefror

194 Araf ei ddyddiau afiach,
oes o boen ydyw'r mis bach.
Dafydd Williams

195 Heb wawr y diwrnod byrraf, a'i oerfel
    anorfod bob gaeaf,
  ni ddeuai'r undydd hwyaf
  i hwylio'r haul oriau'r haf.
T. James Jones

196 Dan lach gwynt y Dwyrain,
Amod ei fod yw byw'n fain
A thrigo'n wyth ar hugain.
Dic Jones

Mawrth

Dydd Gŵyl Ddewi

197 A'r heth yn dal i frathu,
Eto 'rioed trwy'r gwynt a'i ru,
Y mae ias i'r sawl a'i myn
Yn y mil blodau melyn
Un-dydd sydd yn mynnu dod
O wacter ein Cymreictod.
Idris Reynolds

198   Mae'n dywydd gwamal, Dewi,
Mae'r byd yn araf boethi ...

Mae'r iaith yn marw, Dewi,
Be' wna' i rhag ei threngi? ...

Ond Dewi, mae mor dywyll
Ym myd y gwalch a'r cudyll ...

'Er dued y gorwelion
Mae haul ar eu hymylon ...

Cedwch yn daer o ddydd i ddydd
Eich ffydd, a byddwch lawen.'
Eurig Salisbury

199   Y manion bach mwya'n bod
y dwyfoldeb difaldod.
Ceri Wyn Jones

Ebrill

200   Er arafed, daeth rywfodd yn wanwyn
     eleni. Cyrhaeddodd,
    a thyfu mae (wrth fy modd)
    ein briallu. Ebrillodd.
Emyr Lewis

gwanwyn

201   Heddiw, clyw hi'r anffyddiwr,
daeth amser dadmer y dŵr.
Mererid Hopwood

202   Mae hiraeth geni ym mherth y gwanwyn ...
Gerallt Lloyd Owen

203   Mae'r Gwanwyn mawr eginol – yn parhau
     Yn ein pridd gaeafol,
    A'i hen wyrth eto ddaw'n ôl
    Yn arafaidd wyryfol.
Derwyn Jones

204   Ni bu gwanwyn heb ŵyn bach
i lwynog fwydo'i linach.
Tegwyn Jones

205   Mae i wanwyn ddau wyneb,
a'u didoli ni all neb.
Dic Jones

206 Tra bo cyw i'r ddeuryw'n ailddeori ...
Bydd gwanwyn a bydd geni'n dragywydd,
A'r glaw o'r mynydd yn treiglo'r meini.
Dic Jones

Mai

207 Y ddraenen wen a wynnai, tros y wern;
  tresi aur a losgai,
   bronfraith a brân a ganai,
   dyddiau mawr yw diwedd Mai.
Donald Evans

Mehefin

208 Bu'r flwyddyn yn blentyn blin ac anodd ...
  eithr aeth yn haws ei thrin
   ym mihafio Mehefin.
Emyr Lewis

Gorffennaf

209 Awyr asur, creigiau gleision,
dolydd iraidd, dyfroedd gloywon.
Gwyn Thomas

Awst

storom Awst

210 Daw hon cyn medi o hyd
i'm herwau i ymyrryd.
Dai Rees Davies

Medi

211 Heddiw bydd byw! Rho heibio waith – am dro,
  Medi'r haul a'r afiaith
   Ydyw hwn, saib ar y daith;
   Yr alaw nas ceir eilwaith.
Robat Powell

cynhaeaf

212 Ein haf a gynaeafwn; ein gwenith
  yn gân a wiwerwn;
   fwdwl ar fwdwl fe wn
   taw hiraeth a bentyrrwn.
Aneirin Karadog

213　Heddiw clywaf sŵn y cynaeafau,
dychmygu'r bois o bell yn troi i'r tes,
golchwyd o fy nwylo ôl y creithiau,
ond gwn, wrth droi i'r cysgod rhag y gwres
a chlywed grŵn peiriannau yn yr hwyr,
na allaf fyth waredu'r hadau'n llwyr.
Hywel Griffiths

214　Heb gynhaeaf ers cynaeafau, heb
　　　yr haul na'r gwanwynau;
　　yn y cof mae cae i'w hau
　　i fam mewn cae o fomiau.
Aneirin Karadog

215　Tra bo dynoliaeth fe fydd amaethu,
A chyw hen linach yn ei holynu,
A thra bo gaeaf bydd cynaeafu
A byw greadur tra bo gwerydu,
Bydd ffrwythlonder tra pery – haul a gwlith,
Yn wyn o wenith rhag ein newynu.
Dic Jones

Haf Bach Mihangel

216　Ar y coed mae hafau'r co'
A waedwyd eto'n gwrido …
Cans mae i'r Hydref hefyd
Ei winllan sy'n gân i gyd.
Idris Reynolds

217　Daeth Haf Bach Mihangel trwy weddill yr ŷd,
Yn llond ei groen ac yn gelwydd i gyd.
T. H. Parry-Williams

218　Ha' Bach Mihangel oeddet ti,
yno, ond eto ddim yno o gwbwl.
Twyll yn dy wên a brath yn dy wres.
Aled Lewis Evans

219　I fyny'r dyffryn fe'i gwelais yn dod
mor debyg i'r haf ag y gallai fod.
Alun Cilie

220　Yn yr hwyr cael darn o'r haf
yn haul ein cyfle olaf
wrth ddod i wybod na all
yfory roi haf arall.
Tudur Dylan Jones

Hydref

221 Fflam y ddeilen ar y pren,
cols y mwyar ar y drain.
Gwyn Thomas

222 Nid marw wna'r hen dymhorau
yn y pridd, dim ond parhau.
Mererid Hopwood

223 Y cawr balch yn cribo'i wallt – lwytha'i lwyth
O'i lywethau emrallt ...
Dic Jones

dail crin yr hydref

224 Angau sy'n gorwedd heddiw
ar y lawnt yn fôr o liw.
John Talfryn Jones

225 Ddoe yn hardd, heddiw'n ddi-nod,
Ddoe yn dirf, heddiw'n darfod.
T. Llew Jones

226 Gwelaf y staen a haenau'r Hydre' oer
wedi'r haul fu gynnau,
ag un haf ynddi'n gwanhau
un ha'n llai sy'n ei lliwiau.
Geraint Roberts

227 Mi wela' i'r coch a melyn – o dan draed
yn drwch wedi'r disgyn,
a'u clywed, a gwn wedyn:
darfod anorfod yw hyn.
Dafydd John Pritchard

228 Un haf a oedd eiddynt
ein cofnod o'r darfod ŷnt
a ninnau – un ohonynt.
Idris Reynolds

gaeaf

229 Gwrach ddu y gaeaf yn halogi ein haf ...
y mae ei bysedd rhynllyd hi
yn dinoethi ein byd ni.
Gwyn Thomas

230 Mewn dillad parch uwch arch haf
Yn dragywydd daw'r gaeaf.
Huw Meirion Edwards

231 Pwy a'm harbed rhag yr hirlwm,
     pwy a'm gwaredo'n y dyddiau du?
     Megan Lloyd-Ellis

Tachwedd

Sul y Cofio

232 Dau funud disymud sydd
     i gofio'r hogiau ufudd
     a yrrwyd tros y gorwel
     i dân Ypres a'r Dardanelles ....
     John Glyn Jones

cofeb

233 Naddwyd gan ddagrau gweddwon,
     ofnau hil yw sylfaen hon.
     Meirion MacIntyre Huws

234 Yn nhir y lladd daw o'r llwch
     Y ddwys waedd 'A oes heddwch?'
     Dic Jones

ffos

235 ... Llanciau'n codi
     o chwys oer ei lloches hi
     yn eu rhengoedd i drengi.
     Y Cŵps

236 O hon yr aeth miliynau yn un twr
     'Dros y top' dieisiau.
     Ffostrasol

Rhagfyr

237 Mae Rhagfyr wrth ein muriau yn gwgu
           a hogi ei arfau,
        ei lu yn claddau'r cloddiau ...
     Emyr Lewis

238 Er rhoi egni i rwgnach am bob dim
           bob dydd, dathlaf bellach:
        mae 'di bod ryw damed bach
        yn fwy oer, yn Rhagfyrach.
     Emyr Lewis

Adfent

239   Yn nhwll gaeaf, a'n hafau yn rhyw rith,
      hiraethwn am olau;
    disgwyl Gŵyl wna'r galon gau,
    a'r eli'n ei charolau.
Annes Glynn

coeden Nadolig

240   A bydd, trwy osod seren wen yn iawn
ar ben y goeden fach, dy fyd yn llawn.
Hywel Griffiths

241   O'i gadael yn y goedwig – ar y glog
      fe dry'r glaw'n wenwynig;
    ond o'i nôl o ganol gwig
    daw â haul i'r Nadolig.
John Glyn Jones

Drama'r Nadolig

242   Ond yn y cariad fydd rhwng y muriau hynny
Ar noson y ddrama, bydd pawb yn deulu ...
Gwyn Thomas

y dydd byrraf

243   Yn ddiolau eiddilyn, egwan yw,
    yn gyw nyth y flwyddyn.
Ardudwy

Siôn Corn

244   Clywch ymysg y clychau main
y baich o roddion bychain
yn ysgwyd yn rhwyd y rhew,
yn dweud, drwy'r t'wyllwch dudew
heno bod, uwch tref a bae,
Siôn Corn yn sŵn y carnau'n
bwrw'i hud ar lwybrau'r iâ,
lôn oer y bluen eira.
Hywel Griffiths

245   Oedi cyn mentro'n sydyn – i agor
      un llygad yn blentyn
    fore'r Ŵyl; ni fu er hyn
    'run hud i Siôn Corn wedyn.
John Glyn Jones

246   Pam yn ddeddfol daw oedolyn – i'n gŵyl
          â'i gelwydd bob blwyddyn,
       yn gudd tu ôl i farf gwyn?
       Nid wyf yn mynd i ofyn.
Geraint Roberts

gweld Siôn Corn

247   Mae'n un noson aflonydd
       ac ystyr Rhagfyr yn rhydd;
       yma'n driw, mewn un o dri,
       eisoes rwy'n troi a throsi …

       rwy'n nerfus esgus cysgu,
       a daw ef drwy'r cyffro du …

       rhoi ei swllt i mi o'r sach,
       orenau; rhoi cyfrinach.
Geraint Roberts

Dydd Nadolig

248   Ac yn nos ddu y meysydd,
       daeth at fugeiliaid negesydd
       'Ganwyd ichwi Geidwad yn ninas Dafydd,
       Yr hwn yw Crist, yr Arglwydd'
       ond, o edrych ar y dechrau,
       fe wyddoch fod yna wedyn, angau
       garw a gwaedlyd i ddyfod;
       y mae hynny'n 'sgrifenedig,
       yn ddarn fel haearn o'r Nadolig.
Gwyn Thomas

249   Anrheg aur i'r un rhagorol a rown
          thus yn rhad i'r Nerthol …
          rhown fyrr i'r Gŵr anfarwol.
T. Arfon Williams

250   Boed olau'r byd o alar – a di-lid
          Ei wledydd dialgar;
       Ganed Duw, gwyn yw'n daear,
       Cadwn y co', Duw a'n câr.
Eurig Salisbury

251   Heno diawliaf ein Dolig,
       herio'r 'moyn' sy'n chwarae mig,
       cofiaf fod Rhagfyr brafiach
       yn bod, un y bachgen bach.
Mari George

252 Rhoi ffurf y corff i Arfaeth
Duw ei hun: Duw'n ddyn a ddaeth.
Alan Llwyd

253 Daeth yr Ŵyl, a da'i threulio
i feddwl, i faddau, i gofio.
Gwilym R. Tilsley

254 Duw, un dydd, i'n byd yn dod
Heb i neb Ei adnabod.
Eirian Davies

Nadolig

255 Ac er ei bod hi'n ffair wag ar noswyl Nadolig
a'r sioe i gyd yn datgymalu,
mae 'na garol ar ei newydd wedd,
a seren yn y nen
ac addewid ym mhosibiliadau yfory.
Aled Lewis Evans

Nadolig y plant

256 Ar gefn eu cwningod fe ddaeth tri gŵr noeth,
gan ddilyn y seiren o'r dwyrain pell, poeth ...
A daethant i Starbucks, 'rôl teithio'r holl fyd
a rhoi eu harchebion i'r caban mewn crud.
Ceri Wyn Jones

3.6 Dydd

hwyrddydd

257 Awr y feinwen a'r fwyniaith ...
        Awr y borffor hoe berffaith,
        Awr hamdden a gorffen gwaith.
Dic Jones

machlud

258 Rhyw ias tu draw i'r oesoedd, rhyw hiraeth
        heb wir orwel ydoedd ...
Gerallt Lloyd Owen

259 Uwch y trum a'i lewych trwch – yn dawel
        Dros deios fe welwch
        Ysblander a thawelwch
        Yn ei ynni'n llosgi'n llwch.
Dafydd Tecwyn

260 Anobaith yw ffos olaf balchder dyn.
Saunders Lewis

261 Ar awr wan, fe all un ris
edrych fel Cadair Idris.
Dafydd Williams

262 Yn oriau tywyll ein hamheuon blin
a'r wawr ymhell,
ynghanol cors ein hanghrediniaeth ddu
mewn unig gell,
O deued atom chwa o Galfarî
i ennyn fflam ein ffydd, a'n hysgwyd ni.
Aled Lloyd Davies

breuder

263 Onid brau yw dyddiau'r doeth,
a'u bri'n drueni drannoeth?
Brinley Richards

264 Os brau yw edau'r brodwaith,
Ofer yw gwychder y gwaith.
Alan Llwyd

broc môr

265 Ond gan mai cyfyng yw y cof, a'r don
Ar draethell lom ein heddiw'n mynnu taflu
Broc y gorffennol, ni wnâi'r weilgi hon
Ond llyncu poen y nawr i'w chwydu fory ...
Elin ap Hywel

ein byd

266 Aeth gwybodaeth, aeth bydoedd, – aeth hanes
doethineb canrifoedd,
aeth y wawr, a phob gwerthoedd
i'r gwyll dilyfrgelloedd.
Emyr Lewis

267 Byd euog, troeog, byd truan, ynfyd
na chenfydd nac amcan
nac ystyr i'w gur na'i gân.
Gwilym Roberts

268 Dibarhad yw'r byd a brau,
di-hid o'n dyheadau.
Huw Meirion Edwards

Y ddaear

269   Ni wn pa fodd y ffolais gynt
      Ar ddrama'r cread crwn
      A galw'n gampwaith beth mor wael
      Â'r llychyn marwol hwn.
      Gwynfor ab Ifor

270   Pan dynnwyd y llun cyntaf un o'r byd …
      Fe welwyd yn yr hunlun hwnnw hyd
      A lled ein hardderchogrwydd …
      Eurig Salisbury

271   Un bêl dan grib awelon yn treiglo,
      grawn yn rholio, gronyn ar orwelion
      yw'r bêl sydd dan raib olion gŵr a gwraig;
      ai dŵr ar graig yw ein daear gron?
      Aneirin Karadog

cadwraeth

272   Hen fframwaith ein cymdeithas
      wertha'r rhai na ŵyr ei thras,
      a rhy hwyr yw cynnig grant
      i ni wedi'n difodiant.
      John Glyn Jones

celwydd

273   Y mae'r gwir mor wag ei werth,
      Mae'r addewid mor ddiwerth.
      Eurig Salisbury

clecs

274   Mân sôn … hen straeon y stryd yn rhoi lliw
         hwn a'r llall ar fywyd;
        lle i'r rhai bach wella'r byd
       a rhannu gwir yr ennyd.
      Gwynfor ab Ifor

colledig

275   Y llong a gyll ei hangor
      Mae ar drugaredd y môr.
      Dic Jones

colli

276   Colli iaith a cholli urddas …
      Ac yn eu lle cael bratiaith fas.
      Harri Webb

277   Y gair allweddol,
Y gair hanfodol i ni,
Y Cymry, ydi 'Colli'.
Gwyn Thomas

278   Colli'r iaith fu colli rhan,
colli'r cof, colli'r cyfan.
Rhys Dafis

colli tir
279   Fesul tŷ nid fesul ton
y daw'r môr dros dir Meirion ...
Gerallt Lloyd Owen

280   Colli tir a cholli tyddyn ...
A'r wlad i gyd dan ddŵr llyn.
Harri Webb

281   O dyddyn i dyddyn daeth
Diwreiddio'n daearyddiaeth ...
Gerallt Lloyd Owen

craith
282   Ei hôl sydd wedi cilio, aeth y clwyf,
aeth y clais, ond eto
ei hanaf sy'n dal yno.
Y Cŵps

cyffredin llwyd
283   Nid oes na gwên na gwae pan ballo'r nwyd,
Na du na gwyn yn y cyffredin llwyd.
Dic Jones

cynllunio
284   Os ydym ni am weld y duwiau
Yn cael hwyl am ein pennau,
Gwnawn gynlluniau.
Gwyn Thomas

cysurwyr Job

285   A chaniatawyd i Satan
Anrheithio Job, ac ato fo –
O un i un – fe ddaeth cenhadon ...

A phwy a ddaeth heibio iddo ...
Ond teithiwr o Americanwr
Yr hwn a ddywedodd wrtho –
'Hi, Job baby, what can I say!
I'm sorry to be moving on,
But I sure hope, Job,
Whatever happens next that you may
Have a nice day.'
Gwyn Thomas

datod

286   Dwi'n un ddrwg am weld y cwlwm
a cheisio ei ddatod i ti,
y tro hwn mae'n bosib na sylwaist
mai'r unig un all ei ddatod yw ti.
Casia Wiliam

deigryn

287   Ai'r un dŵr dy ddeigryn di
â'r cefnfor sydd yn torri
ar hyd traeth fy hiraeth i?
Tudur Dylan Jones

288   Na rhu meirch holl donnau'r môr;
Nag afon yn dygyfor ...
Egrach yw dŵr dy ddeigryn.
Huw Meirion Edwards

289   Perl di-frad y llygad llaith ar rudd yw,
arwydd ing neu obaith.
H. Meirion Hughes

290   Rhed y lli yn ffrydiau llon,
bryd arall yn bryderon.
Ieuan Wyn

democratiaeth

291 A Pheilat a ddywedodd, 'Mynegwch i mi
Pa un o'r rhai hyn a ollyngaf i chwi.
Ai Barabbas, y lleidr a ysbeiliodd eich tai,
Ai'r Iddew hwn na chaf ynddo ddim bai?

Ac o'r dydd hwnnw mynegi a wnawn
Fod barn y mwyafrif bob amser yn iawn.
Dic Jones

dôl

292 Hawdd i aelod seneddol
werthu dyn i warth y dôl.
Peter Hughes Griffiths

doniolwch

293 Hawdd iawn trwy fod yn ddoniol
ydyw i rai dowlu'r drol.
Dewi Wyn

dwylo

294 Dolen atgof yw dwylo o'r cerydd
a'r cariad di-ildio.
Dyffryn Ogwen

dyhead

295 Gweld, ryw adeg, aildroedio – yr undaith ...
Yr un hwyl a'r un wylo,
Yn ôl y drefn yr ail dro.
Dic Jones

296 Na ro faich canys rwyf fychan ...
ond rho i'm henaid truan
awr o nerth canys rwy'n wan.
John Gwilym Jones

297 Ni ŵyr neb am hwylbren hon
na'i bwrdd hud ond breuddwydion ...
Llond bad o ddyheadau
dan y sêr nad yw'n nesáu.
Meirion MacIntyre Huws

elusen

298 Annoeth y wlad na thâl hi
Ei dyledion i dlodi.
Dic Jones

299 Lluchiwn o'n byrddau llachar
Gardod y gydwybod wâr.
Huw Meirion Edwards

elw

300 Digwilydd ydyw golud
elw'r banc yn chwalu'r byd,
yna bonws dibenyd.
Manion o'r Mynydd

301 Elw ni ŵyr gywilydd.
Dic Jones

ffwdan

302 Dyddiau a geiriau fel gwynt,
rhyw ffwdan ar ffo ydynt.
Brinley Richards

303 Ni wnawn, wrth ffoi am byth o'n ffwdan ffôl,
Ond llithro i'r llonyddwch mawr yn ôl.
T. H. Parry-Williams

galar

304 Am dy alar galaraf, oherwydd
Dy hiraeth, hiraethaf.
Dic Jones

305 Galwr rhy gynnar yw galar.
Menna Elfyn

306 Cans mae'r galar am aros
fel y sêr yn nyfnder nos.
Emyr Jones

307 Clywn don drwy'r galon yn gwau
a gwaedd o'r unigeddau.
Geraint Bowen

308 Galar hen hil yn y glaw a'r niwloedd.
Gerallt Lloyd Owen

309 Lle bo galar yn aros
para'n hir wna lampau'r nos.
Tudur Dylan Jones

310 Nid yw yfory yn difa hiraeth,
Nac ymwroli'n nacáu marwolaeth,
Fe ddeil pangfeydd ei alaeth – tra bo co',
Ei dawn i wylo yw gwerth dynoliaeth.
Dic Jones

311   Llym awel, calan gaeaf
            Chwerw hiraeth sy'n y canu cynnar
            Hanes fy ngwlad yw galar,
            Man geni, yw man claddu
            Yn Aberfan.
            Menna Elfyn

312   Dyna osod ein galar dan fagiau te
            a boddi ddoe dan ddŵr poeth,
            trwshio geiriau nes bod y ceiniogau
            a'r leitars dan y clustogau'n tincial,
            chwerthin nes bod y lipstic coch
            ar rimyn y gwydr yn gwenu.

            A rhywsut,
            mae pethau'n dechrau gwneud sens eto.
            Marged Tudur

gormodedd

313   Gormod o ormod yn y byd.
            Mererid Hopwood

gosteg

314   Mae celwydd golau'r t'wyllwch mud
            yn mynnu hel huodledd ffaith,
            fel craith ar record hir ein byd ...

            Ond pan ddaw lleisiau'r dydd ynghyd
            i loetran eto ar eu taith,
            mae celwydd golau'r t'wyllwch mud

            yn dyst i damaid bach o'r hud
            yng ngosber gwiw efengyl iaith,
            fel craith ar record hir ein byd ...
            Llion Pryderi Roberts

gwarineb

315   Rhyw haenen yw gwarineb cenhedloedd,
                cawn adlais casineb ...
                y dyrnu hyll dros dir neb.
            Emyr Lewis

gwên

316   Y mae gwên, drwy'r siom i gyd
            Yn annwyl doddi'r ennyd.
            Richard Lloyd Jones

317 … Yna gwelir,
nad yw gwên yn dweud y gwir.
Llambed

gwraidd

318 Er y brig pendefigaidd
y mae ein grym yn y gwraidd.
Alan Llwyd

319 Heb dir, heb fywyd iraidd,
heb gysur ond byw gwasaidd:
Ba rin i bren heb ei wraidd?
B. T. Hopkins

320 Ni cheir clod am warchod iaith,
rhydd i ddyn wahardd heniaith …
Anodd iawn yw rhoi i ddyn
wareiddiad heb y gwreiddyn.
John Glyn Jones

321 Po noethaf y pren,
gwytnaf yn y byd y gwreiddiau.
Rhiannon Davies Jones

gwrando

322 Nid sŵn cyn ei seinio:
nid gair cyn ei glywed
gan glust sy'n ei ddeall …

Nid yn nerth y dweud mae dawn,
ond yn y gwrando grymus
distaw.
Christine James

helbul

323 Diwahaniaeth yw dynion ymhob oes …
mae i bawb ei helbulon.
Roger Jones

helygen

324 Unig, unig, oeddwn
A gwelais dros y lli
Helygen brudd yn wylo,
Ac wylais gyda hi.
Derwyn Jones

iechyd

325 Anwydog yn ei sidan
     yw ein byd fu'n glyd mewn gwlân.
     Dafydd Wyn Jones

iselder

326 Diau bydd tywydd tawel a gwanwyn ...
         Eithr y galon hon ni wêl
         Y graig aur ar y gorwel.
     Dic Jones

327 Gwae ein dodi ar dipyn byd
     Ynghrog mewn ehangder sy'n gam i gyd ...
     T. H. Parry-Williams

328 Gwegi i ti yw'r bywyd hwn;
         dwnsiwn sydd dan bob dawns;
     sicrwydd nid oes, a'r lleuad wêr
         â'r sêr yn chwarae siawns.
     Alan Llwyd

329 Mae rhyw wae mwy ar rywun,
     Ond chwerwaf ing f'ing fy hun.
     Dic Jones

330 Pa ddwys air, pa weddi sy'
     all yn hawdd ein llonyddu
     yn nhir neb, pan wynebwn
     y gwactod diwaelod hwn!
     Gwynfor ab Ifor

isymwybod

331 Y dihysbydd lonydd li; llyn o wyll ...
         A'i guddiedig waddodi
         Ydyw cof ein hangof ni.
     Gerallt Lloyd Owen

lleiafrif

332 Ychydig lle bu digon ...
         Gwae'r iaith, lle bu cenedl gron,
         Yn ddiwylliant gweddillion.
     Ieuan Wyn

newid

333 Ond byw i newid y byd
     wnaethom unwaith, am ennyd.
     Rhys Iorwerth

334 Er synhwyro sŵn hiraeth
Yn aros dros yr hen draeth ...

Awn â'r sŵn at y tir sydd
Yn dawel heb ryw dywydd ...

cyn dilyn galwad y don
A malu'r hen ymylon.
Hywel Griffiths

penbleth

335 Y mae'r benbleth a'm llethai, – y mae rhaid
fy mhryder a'm lloriai
yn olion trochion y trai
efo'r don a'm syfrdanai.
Emyr Lewis

perffeithrwydd

336 Gŵr di-fai, mi gredaf i
Nad yw hwn wedi'i eni.
Dic Jones

337 Mi rydw i, rwyt ti ac rydan ni –
Amser Presennol ydi hwn,
sy'n mynegi'r Modd Perffaith.
Steve Eaves

ras

338 Y mae hen nwyd ynom ni
Ar y gorau i ragori ...

Y gwibiwr sydd yn gwybod
Yn ei boen eithafion bod,
Er hynny, yn rhoi'i enaid
Yn y ras i'r hen, hen raid.
Idris Reynolds

rebel

339 Chwe throedfedd ohono,
o'i gorun Affro i'w sodlau Nike Air
o stoc amheus stondin ben-stryd,
a'i osgo'n gweiddi mor groch
ar y byd â chloch 'r Hen Beili acw,
"Co fi'r crwt caled –
Gwyliwch fi ...
rhag ofn, *man.*'
Christine James

rhegi

340 Cer i regi o'r creigiau ar y môr ...
   rhegi, rhegi, i fyrhau
   y dydd, cyn diwedd dyddiau.
Emyr Lewis

rheswm

341 Rhodd Duw i wareiddio dyn, ond er hyn
      fe droes yr eginyn ...
   yn ysgall i'n goresgyn.
Bro Tryweryn

342 Y mae Rheswm wedi 'nallu
Rhag im weld yr hyn sy'n glir,
Y mae Gwybod wedi 'nhwyllo
Rhag im gredu'r hyn sy'n wir.
Dic Jones

rhyddid

343 Hi ar ras a'i thraed yn rhydd
yw holl lun fy llawenydd!
Nia Powell

344 Mae rhoi iau ar ein hamrywiaeth – a'n gwên
      yn gwanio dynoliaeth,
   a gwn, ym mhob gwahaniaeth,
   na chawsom ni'n geni'n gaeth.
Karen Owen

345 O'i geisio, siawns, caf agosáu: – ceisio
   yw cysur fy nyddiau,
   ac o'i gael, a'r drws ar gau,
   fe'i agoraf â geiriau.
Mererid Hopwood

346 Nid oes ryddid yn y byd
yr wyf innau'n ei adnabod

nad yw'n troi'n gaethiwed clyd
wrth im synfyfyrio ormod ...

pan fydd Duw yn sibrwd 'Aros',
dyna adeg symud 'mlaen.
Emyr Lewis

tamaid

347   Ni chefais win cyforiog unrhyw ddawn,
Dim ond rhyw jòch o gwpan hanner llawn.
T. H. Parry-Williams

348   Ni fynnwn i gan fywyd mwy
Anwylo'n hir ei bethau chwim;
Un ennyd fer i'w profi hwy
Fydd bellach yn hen ddigon im.
J. M. Edwards

349   Hanner yn hanner, heb ddim yn iawn,
Heb ddim yn ei grynswth na dim yn llawn.
T. H. Parry-Williams

trefn

350   Pan fydd y llyfrau'n daclus
a'r Lego yn y bocs,
y lliwiau wedi'u cadw
'da Cyw, y clai a'r blocs,
bydd trefn ar fywyd fel o'r bla'n
ar soffa fach y lolfa lân.

Ond gwag yw'r carped moethus,
mae bylchau ar y llawr,
tawelwch yw'r taclusrwydd
heb sŵn y chwarae mawr ...
Hywel Griffiths

trugaredd

351   Tewi yw'r gorau trugaredd.
Dic Jones

352   Cofia'r newynog, nefol Dad
filiynau llesg a thrist eu stad
sy'n llusgo byw yng nghysgod bedd,
ac angau'n rhythu yn eu gwedd

Rho ynom dy dosturi di,
i weld mai brodyr oll ŷm ni:
y du a'r gwyn, y llwm a'r llawn,
un gwaed, un teulu drwy dy ddawn.
Tudor Davies

353   Daw, nid gan rai sy'n 'deall', nac eraill
             sydd â'u geiriau'n ddiwall,
         ond gan gymar mud arall
         sy'i hun gan ddeigryn yn ddall.
     John Gwilym Jones

trysor

354   Fel crair, rhoes Nain ei llestri
     i'w gwarchod rhag y gwe
     tu ôl i wydrau parchus,
     heb fentro'u cael i de.

       Ond gwelaf nawr o'u hestyn
     i'w llnau, a thynnu'r llwch,
     na chuddia'r patrwm cywrain
     mo'r craciau mân sy'n drwch.

       O roi i'w ceinder nodded
     rhag cur a chleisiau'r gwaith,
     ni chlywsom drwst eu gwacter
     yn hollti fel hen iaith.
     Llion Pryderi Roberts

tywyllwch

355   Y nos ddofn fel ynys ddu, rhwyfwr mud
           ar fôr mawr y fagddu ...
     Tregarth

wylo

356   Wylit, wylit, Lywelyn,
     Wylit waed pe gwelit hyn.
     Gerallt Lloyd Owen

357   Mae 'na halen mewn wylo, y mae mwy
           na llond môr ohono ...
     Y Sgwod

358   Wylo rhyw hen, hen alaw
     a glywn yn ochneidiau'r glaw.
     Annes Glynn

ymwahanu

359   Heb y sbarc
     nid ŷm i gyd
     ond cerrig swrth yn gwylio dawns y dŵr.
     Elin ap Hywel

360   Clywais ochenaid, fel rhaff y cwch yn datod;
      hithau i'r môr, a minnau'n ôl drwy'r tywod.
      John Gwilym Jones

5. Fi

5.1. Myfi fy hun

361   Tybed fy mod i, O Fi fy Hun,
      Yn myned yn iau wrth fyned yn hŷn …
      T. H. Parry-Williams

362   I ryw hap diolch yr wyf,
      Am im fod, mai fi ydwyf.
      Dic Jones

363   Cans pan fyn yr Arglwydd
      Dynnu'r wisg mae'n gweld yn rhwydd
      Hagrwch fy nghyntefigrwydd.
      T. Arfon Williams

364   Er i mi hel sawl gelyn, – er fy mod
         i'r dref mwy ond adyn
       yn gawl o unigolyn,
       yr wyf i yn fi fy hun.
      Meirion MacIntyre Huws

365   Mae'n rycsac i'n llawn nialwch, fu'n cronni ers amser maith,
      'di hon heb gael ei gwagio ers dechrau Blwyddyn Saith …

      Ond ar ôl gwagio'r rycsac o'r trugareddau lu
      mi deimlais braidd yn simsan, fel crwban heb ei dŷ …

      Felly, yn ôl, 'rhen nialwch ffyddlon, yn ôl i'r sach â chi,
      achos hebddoch, geriach annwyl, pwy goblyn fyddwn i?
      Gruffudd Owen

366   Peth arswydus i bob un
      yw ei wynebu ef ei hun.
      Gwyn Thomas

367   Y gwaelaf o bob gelyn,
      y mwyaf oll mi fy hun.
      Roger Jones

368   Yr hunan ydyw'r annuw,
      y bach sy'n dalach na Duw.
      Donald Evans

369 Wyf y sant tyneraf sy'
Ond wyf Herod yfory.
Gerallt Lloyd Owen

barf

370 Fy llwyn yng ngardd fy wyneb,
a heb fy llwyn, nid-wy'n neb!
Iwan Rhys

drych

371 Bob bore, yn nrych fy nyddiau,
gwenaf
a gwelaf fwy na fi fy hun.
Sian Owen

372 Doethineb hwn yw na ddengys i neb
yr hyn sydd dan yr wyneb.
Bro Morgannwg

373 Yn y drych pan edrychaf – ni yw'r drwg
Yn y golwg, ond myfi a'i gwelaf.
Dic Jones

ennill

374 Ond erioed daw clod i ran
yr un all goncro'i hunan.
John Glyn Jones

gwallt

375 Pwy ddiawl yw'r bachan howlin
pen mwng? Ma'n fflipin mingin!
Pwy yw'r boi simp, hairy, obsîn?!
Eurig Salisbury

moelni

376 Gwn heb os nac oni bai:
Moel wyf heddiw, moel fydda' i.
Huw Meirion Edwards

5.2. 'Ynom y mae Cymru'

ar werth

377   Hil ar werth. Cadarnle'r iaith
sy'n annog Saeson uniaith;
holi'r pris, hawlio'r preswyl
yn un giang. Sadwrn a gŵyl,
a chyflog un gymdogaeth
yn ei dro ond cwt ar draeth.
Annes Glynn

378   Er ceisio'n lladd yn raddol, hawlio'n tai,
       hawlio'n tir brodorol
     nes ei droi'n dir estronol,
      mae dyrnaid, o raid, ar ôl.
Alan Llwyd

379   Gwerth cynnydd yw gwarth cenedl ...
Gerallt Lloyd Owen

380   Roedd gen i gwpwrdd cornel yn llawn o lestri te
a dresel yn y gegin. Roedd popeth yn ei le
tan i fi werthu'r cwbwl – y tŷ, y stoc a'r moch –
er mwyn i fi gael prynu hyt lan-môr yn Abersoch.
Arwel Pod Roberts

cenedl

381   A dysgais fod byw yn benbleth
      i'r sawl a ymdaflo
     i gadw'n genedl y gymdeithas
     sy'n rhyddhau ac yn rhaflo.
J. Eirian Davies

382   Hen genedl, cof hir;
hen gof, y gwir.
Gerallt Lloyd Owen

383   Un cof a roed i'n gofal, ac un graig
      i'n gwrogaeth ddyfal ...
Gerallt Lloyd Owen

Cymro

384 Ac yn y cyfanrwydd di-atom hwn,
y tawelwch diferol gwyrdd,
lle nad oes fyd ond byd a wn
rydw i gartre. Dyna'r unig ffordd o'i ddweud
rydw i'n perthyn i'r popeth di-ri
sy'n cydio amdana i'n dynn, ac maen' hwythau
yn symud a bod ynof fi.
Gwyn Thomas

385 Gymro da, gymri di air Garmon,
mae gweddill, nid gweddillion
a saif mwy'n yr adwy hon.
Yr Wyddgrug

386 Nefoedd hwn yw ufuddhau,
anwylo hen hualau.
Gwynlliw Jones

387 Y ni o gymedrol nwyd
yw'r dynion a Brydeiniwyd ...
Gerallt Lloyd Owen

Cymru

388 Ac mi glywaf grafangau Cymru'n dirdynnu fy mron.
Duw a'm gwaredo, ni allaf ddianc rhag hon.
T. H. Parry-Williams

389 Cadwn y mur rhag y bwystfil, cadwn y ffynnon rhag y baw.
Waldo Williams

390 Dros Gymru'n gwlad, O! Dad, dyrchafwn gri,
Y winllan wen a roed i'n gofal ni ...
Lewis Valentine

391 Ein daeareg, o dorri
Darnau hawdd o'n daear ni,
Yw'r faner wen ar fynydd,
Awn yno i'w rhwygo'n rhydd.
Hywel Griffiths

392   Dysg imi garu Cymru,
       ei thir a'i bröydd mwyn ...

Dysg imi garu cyd-ddyn
   heb gadw dim yn ôl ...

Dysg imi garu'r Iesu
   a'i ddilyn ef o hyd
gan roi fy mywyd iddo,
Gwaredwr mawr y byd.
W. Rhys Nicholas

393   Efallai nad Afallon mohoni,
      mae Hanes yn gyffion
    am derfynau erwau hon;
    hen iard oer yw'r fro dirion.
Annes Glynn

394   Fy Nghymru, a bro brawdoliaeth, fy nghri, fy nghrefydd ...
Waldo Williams

395   Fy ing enfawr, fy ngwynfyd, – fy mhryder,
      fy mharadwys hyfryd;
    ei charu'r wyf yn chwerw hefyd.
Alan Llwyd

396   Gwinllan a roddwyd i'm gofal yw Cymru fy ngwlad,
i'w thraddodi i'm plant ac i blant fy mhlant ...
Ac wele'r moch yn rhuthro arni, i'w maeddu.
Saunders Lewis

fy ngwlad

397   Ni yw'r wlad sydd am gadw
llannau'n hiaith a'u cestyll nhw.
Karen Owen

398   Un cof a roed i'n gofal ...
      Un hanes yn ein cynnal,
      Un darn o dir yn ein dal.
Ieuan Wyn

399   Wrth feddwl am fy Nghymru
daw gwayw i'm calon i.
Dafydd Iwan

iaith

400 A drych oedd canfod yr iaith,
y ffenestr i'w gyff uniaith,
y drych lle gwelai ei dras
yn ei harddwch a'i hurddas ...
Alan Llwyd

401 Agor dôr i wlad o iaith,
i'r rhin sy'n un â'r heniaith.
Tudur Dylan Jones

402 Dwy iaith
ac y mae un yn haul
i mi, a'r llall yn lleuad ...

Gwaith iaith yw marw.
Yna beth a ddaw
ohonom mewn tawelwch?
Heb ddau oleuni,
pa synnwyr fydd yn y tywyllwch?
Gwyneth Lewis

403 Ei wôs, as won is wônt,
Confyrsin hepili wudd mai ffwends ...
When, as ddei âr wônt,
Tw tjieps cêm in tocin,
As ai asiwmd, sym aborijinal dialect:
'Wojer mêt, nyw ows abât e paint
O iwr gwd êl.'
Gwyn Thomas

404 Hon yw'r gair hwnt i'r geiriau, – hon yw dweud
di-ddweud ddyheadau,
hon yw'r cof wedi i gof gau,
a'r enaid rhwng llythrennau.
Tudur Dylan Jones

405 Pwy fu'n pwytho iaith yn gerdd a chân i frethyn hanes?
Hywel Griffiths

406 Yma ym murddun fy iaith
Codaf gaer o rediadau berfol
A thwr o arddodiaid yn erbyn f'unigrwydd,
Gyda phob bricsen yng nghastell f'hunaniaeth
Cynhaliaf ymgom â mi fy hun
Ar dâp, yn absenoldeb amgenach cwmni.
Mihangel Morgan

5.3. Y Gymraeg

407　Am mai iaith dy fam yw hi …
bydd, o'i chael, yn d'afael di
hen werthoedd sy 'nghlwm wrthi.
Preselau

408　Disglair yw eu coronau yn llewych llysoedd
A thanynt hwythau. Ond nid harddach na hon
Sydd yn crwydro gan ymwrando â lleisiau
Ar ddisberod o'i gwrogaeth hen …
Waldo Williams

409　Ei siarad yw'r ramadeg,
Y wefus lafar ydyw'r coleg.
Dic Jones

410　Fi dim gwastad cael treiglade, na'r hwns
na'r hons, na'r englyne;
ond fi lyfo gyd o fe,
mae fe'n cŵl. Mae fi'n cael-e.
Ceri Wyn Jones

411　Gyn ti cariad i dy heniaith?
Gyn ti sbo' meddal i dy mamiaith?
Gyn ti? Gyn ti ddim? Fi gyn.

Fi yn *proud* o be dwi yn
Ti yn? Ti ddim yn? Fi yn eniwe, so dder …
Mei Jones

412　Ti, yr iaith, fu'n ein trwytho …
　　Ond ti, yr iaith, ry'm bob tro
　　yn dewis ei handwyo.
Meirion MacIntyre Huws

413　Where are you goin' on your Profiad Gwaith?
Ugh, they're sending me to some swyddfa
where I'll have to be dwyieithog
and do some kind of cyflwyniad when I get back.
And it's getting me down
cause as you know, I never speak a word of Welsh.
Aled Lewis Evans

414　Y mae rhai'n marw unwaith,
Ond marw o hyd y mae'r iaith.
Alan Llwyd

415   Y tric i'r heniaith bob tro
       yw cael ifanc i'w lyfio.
       Eurig Salisbury

416   Yn byw a cicio mae iaith ein gwlad fy dadau
       a fy mamau, marcia di fy geiriau.
       Mei Jones

417   Yn Gymraeg mae'i morio hi,
       yn Gymraeg y mae rhegi.
       Meirion MacIntyre Huws

418   **Welsh Not**
       (pwy bynnag fyddai'n ei wisgo ar ddiwed y dydd byddai'n cael ei gosbi)
       Yn gosb, o flaen y dosbarth,
       am eu gwddf – mor drwm eu gwarth!
       Yr 'WN' a nodai'r rhain
       yn wehilion. Mor filain
       y drefn a ddistawodd dro
       y direidus drwy'i wawdio,
       maen melin drodd i ninnau'n
       hen boer o wawd fyn barhau.
       Annes Glynn

       enwau lleoedd

419   A weli di'r garn ar y gorwel draw ...
       Bu ganddi enw yn y dyddiau gynt ...

       A deimli di'r gwynt sy'n trywanu'n fain
       gan adael y wlad rhwng y cŵn a'r brain?
       Nid oes iddo yntau'r un enw, er hyn
       fe welir ei ôl ar bob pant a bryn.
       Wyn Owens

420   Ein hunaniaeth yw'n henwau
       yn hwyrddydd ein bröydd brau.
       Ifan Prys

421   I goffáu'n rhinweddau ni
       mae enw'n well na meini.
       Pencader

422   I rai
mae hud mewn mwytho enwau diarth ar eu tafod
yn win ar wefus,
eco'r cynfyd yn eu cân –
Ond rhowch i mi
frath heli'r cregyn gwynion ger Traeth Lafan,
y diliau mêl
sy'n swatio yng ngweirgloddiau Genau'r Glyn,
yn llus sy'n hanfod chwerwfelys Moel Hiraethog
a'r eirin aeddfed ym mherllannau'r Hendy-gwyn.
Annes Glynn

geiriau

423   Achos pan gollo geiriau'u nerth,
Fe gyll y galon hithau'i gwerth.
Dic Jones

424   Am fod enwau mwyn yn toddi'r tawelwch.
Menna Elfyn

425   Ein stôr yw'r gist o eiriau, a'n trysor;
        Paid â'u trosi'n ddarnau;
     Malu iaith wna fformwlâu
      A'u Gwglo'n eu troi'n gaglau.
Emyr Davies

426   Er ein bod yn rhaffu geiriau,
llenwi'n bywyd â brawddegau,
pan ddaw'r Gair i herio'n gwreiddyn
mud fydd ein gwefusau wedyn.
Annes Glynn

427   Mae eu hiraeth am eiriau
Gwydyr yn lle mygydau ...
Huw Meirion Edwards

428   Nid yw'r gweunydd yn magu plu.
Nid yw'r garreg yn ateb,
Dim ond brwyn ydi'r mynydd.
Dim ond geiriau ydi iaith.
Myrddin ap Dafydd

429   Mae 'na deigrod mewn dagrau;
mae 'na gerrig mewn geiriau.
Gwynfor ab Ifor

430 Ond diystyr ar aelwydydd rhai
yw 'dim ond geiriau',
yn y rhain mae llond tylwyth o ystyr:
yma mae ystyr yn trigo
o'u mewn mae rhyddid a dychymyg,
a bydd inc yn gwaedu cerddi a storïau.
Dafydd John Pritchard

431 Pan â'r heniaith i ben y penrhynnau,
i ble'r â'r rhain, y parablwyr enwau?
Twm Morys

432 Ond ella y daw 'na ddydd
a'i gwesitynau'n brifo gormod …
diwrnod malu 'ngwamalrwydd a sodro fy swildod dan glo,
pan fydd yn rhaid i 'ngeiriau dorri'n gyllell
frwy fraster diflastod ein byw.

Tan hynny, af mewn sanau stroclyd i ymryson
a 'nghlyfrwch yn atsain yng ngwacter godidog y geiriau.
Guto Dafydd

433 Wyneb yn wyneb â'th freuder
â thinc y dagrau
sy'n islais cyson, digamsyniol
dan alaw lifeiriol dy fyw,
yr unig beth oedd gen i
i'w gynnig i ti
oedd
geiriau …

Minnau
fel arfer,
yn dal i ymbalfalu
am eli'r
union
air.
Annes Glynn

434 Yn eu hawydd anniwall – i'n herio
gŵyr y geiriau cibddall
y daw awen, o'i deall,
o gerdd i gerdd yn rhy gall.
Crannog

graffiti

435 Fe'n hanogwyd ar heolydd
i fynnu *Deddf i'r Iaith*,
i *Gofio am Dryweryn*,
i *Hawlio Tai, Tir, Gwaith*;
ond nawr mae'n bryd ailgylchu
hen ymgyrch ar ein ffyrdd,
a gyrru 'mlaen yn gyflym
i *beintio'r byd yn wyrdd*.
Christine James

436 Y mae hen wal gennym ni – i naddu
        Ein prydyddiaeth arni
      Yn her, cyn i'r penseiri
      Uchel-ael ei chwalu hi.
Idris Reynolds

tafodiaith

437 Yr un drysor didor ei dwf
a gymynnwyd uwch gemau inni
o feysydd hen wefusau.
Donald Evans

5.4. Cymreictod

438 Hanfod Cymreictod yw'r iaith; ein hanfod
        rhag i'r genfaint ddiffaith
      chwalu'r winllan; rhag anrhaith
      y moch drwy'r canrifoedd maith.
Alan Llwyd

439 Ac felly, os gofynni pa beth yw Cymreictod,
nid safiad, na dewis, na her. Hwn yw fy hanfod.
Beryl Griffiths

Cymry Cymraeg

440 Ni yw'r rhai sy'n barhaol – er ein trai ...
      y rhai sydd wastad ar ôl;
        ni yw'r gweddill tragwyddol.
Alan Llwyd

dysgwr

441   Fel dysgu reidio beic nid hawdd yw dysgu iaith;
rhaid dysgu sut i godi wrth gwympo ar y daith.
Rhaid weithiau ddisgwyl baglu dros nerfau, ddydd y ras,
a chael ffydd y bydd cyhyrau yn gwneud eu gorau glas.
Fel gwibio ar gefn beic, daw gwefr o gynnal hon
a'i holwynion yn dal i droelli ar ddarn o'r blaned gron.
Ac mor hawdd yw'r holl chwysu ar hyd y milltiroedd maith,
gan taw dim ond dechrau yw cyrraedd diwedd y daith.
Aneirin Karadog

442   'O le wyt ti'n dod Neijal?
Ti'n merwino fy nghlustiau
hefo'r bratiaith 'na, Neijal.'
A rŵan yng ngwaelod yr ardd
mae'n sefyll yno'n treiglo ...
tra'n dysgu priod-ddulliau
bwriwyd sawl Neijal ymaith
ond gwell iddynt droi yn Saeson
na chael treisio ein cystrawen.
Ifor ap Glyn

443   Dyma nhw,
yr hen o'r gorllewin,
y llances o'r de ...
Yn cyfnewid sbrigau o eirfa,
rhwng ei famiaith hanner-marw
a'i hail-iaith hanner-byw.
Grahame Davies

hen ŵr Pencader

*(a ddywedodd wrth Harri II yn 1163 am barhad
Cymru a'r Gymraeg hyd Ddydd y Farn)*

444   Cadwodd hen ŵr Pencader ei enaid
a mynnodd, drwy lawer
awel fain, ddal y faner.
Myrddin ap Dafydd

445   Y nacâd o Bencader a fu'n gefn
        i garn fagu hyder
      yn yr hil, a'r un yw'r her,
      lanc ifanc, carca'r cyfer.
T. James Jones

6. Fi a ti

6.1. Serch

446
Ti, dim ond Ti,
Dim ond Ti i mi.
Dewi 'Pws' Morris

447
A oes ots pwy wnaeth y sêr
a dau'n cusanu'n dyner?
Rhys Iorwerth

448
Dau lais ein ffidil iasol
yn uno am ennyd fynwesol.
Robin Llwyd ab Owain

449
(Iola Gregory)
Hi yw'r iasau'n y rhosyn
a rhith y gwlith ar y glyn.
Cefin Roberts

450
Trwy ddirgel ffyrdd fe ddaethost ti
fel iâr fach yr haf i'm bywyd i.
John Roderick Rees

451
Un noswaith berffaith, borffor
A thi a mi wrth y môr.
Geraint Bowen

452
Wyt wên y tu hwnt i waedd,
a gair tu hwnt i gyrraedd.
Tudur Dylan Jones

453
Y mae fy nghariad fel llong;
serch yw'r gwynt yn ei hwyliau hi.
T. Glynne Davies

cusan

454
Gad imi adael arwydd
o'm diolch ar dy rudd.
Tudur Dylan Jones

455 Ti'n plannu sws ar 'y ngwefus i wrth adael y tŷ,
ac ar ôl i ti fynd dwi'n sefyll yno
yn yr aer lle'r oeddet ti
yn meddwl bod honna
a phob sws arall ges i gen ti 'rioed
fel mefusen;
yn felys,
flasus,
ac mewn eiliad,
wedi mynd.
Casia Wiliam

456 Pe bai awen yn gusanau,
canu wnâi 'ngwefusau innau.
Annes Glynn

taith

457 Mi wn ers y tro cyntaf i ni drefnu mynd am dro,
gwisgo'n 'sgidie cerdded a chrwydro hyd y fro.
Fe wyddwn 'reiliad honno, dan las y wybren faith:
dy gusan di yw'r dyddiau, dy gwmni di yw'r daith.
Casia Wiliam

458 Un daith, mi wn, o'i dethol
a daw i ni ein doe'n ôl,
dim ond cam ar y gamfa
a hen swyn un nos o ha'
sy'n cerdded rhwng y rhedyn,
ni ein dau'n dal dwylo'n dynn.
Haf Llewelyn

459 Dwy galon, un dyhead,
Dau dafod ond un iaith,
Dwy raff yn cydio'n ddolen,
Dau enaid ond un daith.
Dic Jones

460 Unigrwydd yn llawn dagrau
Yw byd un lle gynt bu dau.
Machraeth

6.2. Cariad

461
Cariad
weithiau
(dim ond weithiau)
yw gadael fynd.
Aled Lewis Evans

462
Dy falm, dy fyd, dy fywyd ydwyf fi;
Fy myd, fy mywyd hefyd ydwyt ti.
Alan Llwyd

463
Dywediad llygaid ydoedd
Ac englyn heb eiryn oedd.
Hywel Griffiths

464
Gochel rhag mynd i'r felan; cred y bydd
    Cariad byw drwy'r cyfan,
  A bywyd fel y bwa'n
    Sgleinio draw yn y glaw glân.
Rhys Dafis

465
Heuir mewn dagrau, medir yn llon,
Cariad sy'n llywio stormydd y don.
J. D. Vernon Lewis

466
Mae'n gryf. Daw o'r galon.
Mae'n gysur mae'n gyson,
ac i ddau gâr ei gilydd
mae'n gwlwm tragwyddol.
Desmond Healy

467
Nid oes dyn mor dlawd ei stad
Â gŵr nad eiddo gariad.
Dic Jones

468
Yn fy nos ti yw'r rhosyn, ti yw'r wawr,
Ti yw'r wefr ddiderfyn ...
Ken Griffiths

469
Yn oer, yn unig, ar siwrne anodd,
Yn eira'r galar hyhi a'm gwelodd,
Yng nghiliau hiraeth fy nghlyw a irodd,
Yn waglaw oeddwn, fe'm hymgeleddodd ...
Idris Reynolds

llwy garu

470
Nid o'r cwyr y daw'r cariad,
yn y pren mae'r parhad.
Emyr Lewis

471   Yn ei henaint, prynodd gynion newydd
       a saernïo calon
    heb ei hail – ond, yn y bôn,
    ni wyddai ond y naddion.
Tony Bianchi

tŷ gwag

472   ... A beth yw'r tŷ
heb warineb i'w rannu?
Emyr Lewis

473   Marwydos ar ôl nosi
yw y tŷ hwn hebot ti.
Tan-y-groes

6.3. Priodas

474   Yn y 'gwnaf' mae'n haf o hyd,
yn y 'gwnaf' mae'n gwên hefyd.
Tudur Dylan Jones

475   Am mai y gair bach mwyaf
yn ein hiaith yw'r gair bach 'Gwnaf'.
Ceri Wyn Jones

476   Dduw Dad, bendithia'r mab a'r ferch
     ar ddechrau'u hoes ynghyd,
ar ddydd eu priodas pura'u serch
     â'th gariad dwyfol, drud.
Tudor Davies

477   Heddiw fe ddaeth y ddeuddyn
gam wrth gam i'r capel gwyn,
ac at ddidwylledd gweddi
eu dau fyd; daw ef a hi ...
Geraint Roberts

478   Nid addo byw mewn plas o foeth a blodau
a phopeth ichi'n hawdd,
ond addo codi tŷ â brics eich dyheadau,
a thyfu gwreiddiau dwfn ym mhridd eich serch.
Guto Dafydd

479   Priodas yw dinas yr haneri coll
sy'n chwilio ymhlith ffracsiynau di-ri'
am fathemateg a all asio dau
a'u lluosi i fod yn dri.
Gwyneth Lewis

480   Tra bo trefn a thra bo gofid
am fân bethau'r diwrnod braf,
mond dau gwestiwn sydd yn cyfri
a'r un ateb sydd i'r ddau:
cofiwn am y 'Pam?' a'r 'Pwy' –
ti a mi, a dim byd mwy.
Ceri Wyn Jones

gwragedd

481   Ond pan 'wedir un waith eto
o'r sedd sy'n rhy fawr i ferched
wnaiff y gwragedd aros ar ôl,
beth am ddweud gyda'n gilydd,
ei lafarganu'n salm newydd
neu ei adrodd fel y pwnc:

'Gwrandewch chi, feistri bach,
tase Crist yn dod 'nôl heddi

byse fe'n bendant yn gwneud ei de ei hun'.
Menna Elfyn

gwraig

482   Er ein gwae a'r straen i gyd ...
ym mhob storm buost o hyd
yn fy nal, fy anwylyd.
D. J. Jones

483   Mae gwraig ddiddan a glanwaith
Yn dŵr i'w gŵr ymhob gwaith.
T. Llew Jones

484   Ym mis y dyddiau byrion,
Pan guro'r tonnau geirwon,
Caf ddal yn dynn yn nwylo gwraig
Sy'n graig ym mrig yr eigion.
Eurig Salisbury

6.4. Cyfaill

485   Mae'n well byd y man lle bôt – mae deunydd
Fy holl lawenydd, fy nghyfaill, ynot ...
Dic Jones

486   Arhosodd yn fy rhesi – a'i enw,
er i'w ffôn ddistewi,
ni allwn weld ei golli
na'i ddileu o'm meddwl i.
Geraint Roberts

487   Mae haf a gofiaf, gyfaill,
Oriau pêr gwasgaru'r paill,
A wyneb 'rhaid ei enwi
O 'nyddiau tân oeddet ti.
Ha! dyddiau i'w gweld oeddynt,
A'u gweld oedd yn mynd â'n gwynt.
Gwynfor ab Ifor

488   O'i gael unwaith, rhaid yw glynu – wrtho;
      ni all nerth ei fynnu
      na'r ariannog ei brynu –
      daw ei werth mewn oriau du.
John Glyn Jones

489   Ond fflamau yw ffrindiau ffraeth
yn odli â'u cenhedlaeth.
Meirion MacIntyre Huws

490   Bu'n gyfaill fel eraill; cyfaill hŷn,
      cyfaill hoff er hynny,
      a chyfaill i'w ddyrchafu
      uwchlaw eraill; cyfaill cu.
Alan Llwyd

croeso

491   Gyfaill, fy nrysau, os deui,
a geir yn agored iti.
Caerdydd

cydnabod

492   Fy niolch i'm cydnabod o bob gwaed,
Hwynt-hwy yw'r deunydd crai o'r hwn y'm gwnaed.
Dic Jones

cymydog

493   I gymydog mae adwy – yn rheswm
      i drwsio dau drothwy
      ar y cyd, a'u cerrig hwy'n
      un nod anwahanadwy.
Annes Glynn

digon

494   Yn f'ofnau oer, yn nwfn y nos,
digon yw un ffrind agos.
Mererid Hopwood

esgyrn

495 Beth ydwyt ti a minnau, frawd,
Ond swp o esgyrn mewn gwisg o gnawd? ...

Ni bydd ohonom ar ôl yn y byd
Ond asgwrn ac asgwrn ac asgwrn mud ...

      *   *   *

Asgwrn ac asgwrn, forwynig wen,
A chudyll a chigfran uwch dy ben ...
T. H. Parry-Williams

6.5. Y grym sy'n creu er y dechrau

teulu

496 Mae rhyw ddarfelydd nad oes mo'i amgyffred
Yn tynnu dolen eto 'nghyd.
Dic Jones

497 Nid aelwyd a wna deulu,
nid muriau ond y mawr ofalu.
Ieuan Wyn

derwen

498 O'r dderwen wyf fesen fach,
Mesen o un rymusach.
Gerallt Lloyd Owen

llinach

499 Yn y gadwyn o goeden – hynafol
Yr wyf megis dolen ...
Tan-y-groes

hynafiaid

500 Ynom mae ein hynafiaid
yn iau a gwaed a gwêr.
Gwilym R. Jones

6.6. Geni a phlant

501 D'eni heno yw 'nadeni innau
i stori gariad ac ystyr geiriau.
Mererid Hopwood

502 Doedd 'run seren uwch d'eni'n – fechan fach,
      Ni fachwyd 'run stori
    Wrth dy greu, ond nerth dy gri
    A daniodd y byd inni.
Huw Meirion Edwards

503 ... Mae marw'r geni
yn anaf hen ynof fi,
yn felltith sy'n fy hollti.

Mor gyntefig, unig yw! –
yn halen ym mhob menyw,
a nwyd eithafion ydyw ...

Un waedd, ac rwy'n adfywhau;
bore ir ei bywyd brau
yn ochain yn fy mreichiau.
Annes Glynn

baban

504 Daw bywyd yn sgrech o enau'r fechan
wedi'r ddihangfa o noddfa'i chuddfan,
a daw i agor dau lygad egwan
a rhannu'i chysur rhwng bron a chusan ...
John Glyn Jones

505 Mae'r ddalen ddydd dy eni – yn annwyl
   o lân; bwria iddi
    â llawenydd i'w llenwi ...
John Glyn Jones

506 ... Ond gwynfyd
yw cael, o'r oriau celyd,
wyrth o beth sy'n werth y byd.
J. Eirian Davies

507 Y geni ym mhob gwythïen,
yn dresi byw dros ei ben.
Myrddin ap Dafydd

gefeilliaid

508 Edefyn rhwng dau efell a'u cydiodd
O'r cwd cyn eu cymell.
Dic Jones

509 Yr un wyneb a'r un anian yn dal
rhwng dau'n llinyn arian.
Waunfawr

6.7. Teyrnas diniweidrwydd

510   Gwyn fyd pob plentyn bach ...
     Gwae hwnnw wrth y pyrth:
  Rhy hen i brofi'r syndod,
     Rhy gall i weld y wyrth!
Rhydwen Williams

plant yn chwarae

511   (*ger Flanders Fields Museum, Iper*)
  Does dim sy'n fwy gwefreiddiol
  na thorcalonnus, chwaith,
  na diniweidrwydd, diamod plant.
Dafydd John Pritchard

512   Eiliad ar draeth hirfelyn
  yw dy hwyl cyn i'r don oresgyn.
Peredur Lynch

513   Mae sgwarnog yn yr hogyn – yn rhedeg
     nerth ei draed, ond wedyn
    daw hirlwm llwyd i'w erlyn,
     yna'i ddal, a'i droi o'n ddyn.
Gruffudd Owen

514   Wele'r rhai nid adwaenant wae
  er bod y ddaear fel y mae,
  ond byw pob ennyd o bob dydd
  yn ffyrnig-lawen, ffyrnig rydd.
John Eilian

plentyn

515   Bolltiwch gloeon eich breuddwydion
  Rhag i'r lladron rwygo'r lledrith,
  Rhag dwyn syndod pob plentyndod
  O dan falltod byd dan felltith.
Huw Meirion Edwards

516   Hed, fy mychan, i'w bannau;
  Tywys fi dros y toeau
  I oesau'n ôl, byd sy'n iau.
  Ac awn lle cawn yn y coed
  Esgyn ym mreichiau'r glasgoed
  I'r haul fu ynom erioed.
Gwynfor ab Ifor

517 Pe feddwn dalent plentyn
I weld llais a chlywed llun ...
Gerallt Lloyd Owen

518 Ond cachu ar y gambren ...
Yw hanes plant, yntê?
Dic Jones

519 Rhai dyddiau dwi'n cyfri'r oriau
nes daw'n amser dweud 'nos da',
i gael eiliad bach o lonydd
er dy fod ti'n hogyn da.

A rhai dyddiau pan fyddi di'n lapio
dy freichiau amdanaf yn dynn,
dwi'm isio yr un 'nos da' arall,
dwi isio aros, yn oes oesoedd, fel hyn.
Casia Wiliam

ieuenctid

520 Ac i rai y gwir erioed
yw mai atgas oedd glasoed,
math o gell oedd pymtheg oed.
Gwenallt Llwyd Ifan

521 Mae dyn yn hogyn o hyd,
Yn ifanc a hen hefyd.
Dic Jones

522 Ac mae tôn acenion cudd
yn sŵn hy eich raps newydd.
Eurig Salisbury

523 Gynnau, a mi'n fachgennyn,
onid oedd y dyddiau'n ddiderfyn.
Tywysogion

524 Y wahanol i'r henoed,
Y rhai iau sy'n iawn erioed.
Tudur Dylan Jones

6.8. Mam

525 Bu fyw'n dda, bu fyw'n ddiwyd,
a lle bu hon, mae gwell byd.
W. Rhys Nicholas

526   Ewch â'r arch i'r pridd,
A rhowch orffwys i'r cnawd cystuddiedig;
Ac nid wylaf mwy.

Canys
Y mae Mam yma o hyd
Yn ynni mawr yn ein mysg.
T. Llew Jones

527   Fy mam brydferth, fy mam llawn chwerthin rhwydd
      Mam a'i rhoddion meithrin:
     cariad, gwareiddiad, rhuddin
      i bara oes. Fy mam brin.
Emyr Lewis

528   Llafuriodd fel llawforwyn
i mi, a gweini'n ddi-gŵyn;
mewn gorchwyl roedd anwyldeb
un na wnaeth un drwg i neb.
Byw ei hoes i'r pethau bach,
rhoi o'i hegni'n ddirwgnach;
rhoi'n llawen â gwên gynnil,
rhoi o'i bodd heb yrru bil.
Llwyddodd hon drwy haelioni
i roi ei nod arna' i.
John Glyn Jones

529   Nid oes un ymgeledd
all wella briw diddiwedd
hiraeth ei fam wrth ei fedd.
Iorwerth H. Lloyd

530   O aberth a thrafferthion
y dôi'r hedd fu'n hedd i hon ...

Ond i fab a'i hadnabu
Ni bydd a fydd fel a fu.
Gwilym R. Tilsley

531   O'r gwaed sy 'ngwreiddiau'r goden
y rhoddodd ei rhuddin i'r gangen.
Y Bala

532 Wrth erchwyn eich penwynni
yr haf hwn myfyriaf i
am y modd mae gofal mam
yn gwrlid. Byd ar garlam
yw hwn, ond yma caf hedd,
Lapiaf wrthban amdanoch ...
Mae hydref yn eich modrwy,
minnau'n fam i fy mam, mwy.
Annes Glynn

533 Heddiw rhof ddiolch iddi –
mwy na mam fu Mam i mi.
Robin Llwyd ab Owain

534 *(Cot Mam)*
Towlais bip i'r drych a gweld
ie, mwya'r syndod,
bod Mam yn dynn amdana
fel cot gyfarwydd.
Elinor Wyn Reynolds

535 Hi'r fynwes gynnes i gyd,
A Mai bob mis o 'mywyd,
Hi siarad lawn cysuron,
Hi wawr liw, ac ar y lôn
Hi ddal llaw pob taith lawen
Yn dynn iawn ... cyn mynd yn hen.
Tudur Dylan Jones

536 Fy unfam yn gyfanfyd – ynddi'r oedd
rhuddin fy mychanfyd;
yn fam awen fy mywyd
ei llaw fach oedd fy holl fyd.
Elwyn Edwards

6.9. Tad a theulu
Tad

537 Fy nhad cydnerth, fy nhad llawn chwerthin iach,
fy nhad anghyffredin;
brwydrwr, arwr, pererin;
hoff enaid praff, fy nhad prin.
Emyr Lewis

538   Am ennyd ar y mynydd
saif fan hyn ar derfyn dydd.
Wyneba'r byd yn nebun,
gwybod bod ei fab ei hun
yn rheibio tai. Trwy'r byd hyll
mae gynnau yn ymgynnull.
Plant ein glob sy'n bwydo bedd ...
Aneirin Karadog

539   *(Er cof am Tada)*
Yn dy lygad graffter
Llygad bugail, balchder,

Ar dy wefus, wên,
Ar dy fin, awen.

Yn dy lais, dân
Gloyw oleugan.

I'th ddwylo, hedd
Wedi rhin amynedd.

I ninnau, hir gyni
Chwithdod dy golli.
Nesta Wyn Jones

540   'Chi' oedd fy nhad i ni, ond 'ti'
Ydwyt Ti – y dirgel yn glòs a'r agos
Yn ffurfiol. Gwna'n siŵr, O Dduw Dàd,

Nad yw'n tâd heb gorff yn profi arswyd,
Nac yn llosgi dan bwysau'r sêr,
Nac yn rhynnu tu fas i amser.
Gwyneth Lewis

tad a mab

541   Dwy awen nad yw'n deall
Y naill un felystra'r llall.
Dic Jones

542   Eu llinach ydyw'r llinyn; – hen edau
     cyndeidiau yn estyn
      o enynnau y ddau ddyn,
      edau eiddil rhwng deuddyn.
Gwenallt Llwyd Ifan

543   Y mae hi, efallai,
      yn hawdd i rywun anghofio
      wrth drafod dioddefaint y Mab,
      fod ei Dad yno hefyd.
      Gwyn Thomas

      mab
544   Dere, fy mab,
          i weld rhesymau dy genhedlu,
          a deall paham y digwyddaist ...
      Dafydd Rowlands

545   Y gân sy'n ein gwahanu,
      A'r gitâr sy'n rhwygo'r tŷ.
      Dic Jones

      rhieni
546   Gwn rhagor nad oes torri'r hualau
              ers eiliad fy ngeni,
          am mai rhan o'm rhieni
          a'u hanian nhw ydw i.
      Gruffudd Antur

547   Maeth a help pob mam a thad
      yw gwreiddyn ein gwareiddiad.
      Bro Ddyfi

548   O dir meddyliau dyrys rwy weithiau'n
              gweld rhith chwerwfelys
          ein rhieni ar ynys ...
      Emyr Lewis

549   *(tad a mab yn pysgota)*
      Eto, wrth nesáu atynt,
      dau lais sydd mor dawel ŷnt;
      dau yn swil gyda'i gilydd
      a dau ŷnt fel nos a dydd
      ar ddwy geulan wahanol
      a dŵr ddoe yn hollti'r ddôl.
      Gwenallt Llwyd Ifan

550   Y peth pwysicaf y gallwn ni, fel rhieni,
      ei draddodi i'n hiliogaeth ni ydi
      y gallu i wneud hebom ni.
      Gwyn Thomas

551   ... Anodd maddau
yn rhwydd garedigrwydd dau,
caredigrwydd creu'r dagrau.
Ceri Wyn Jones

nain

552   Heddiw a thrwy'r blynyddoedd,
Yr un leiaf fwyaf oedd ...
Eurig Salisbury

553   Mae rhoi dillad ar y lein yn pupro
holl atgofion tŷ Nain, haf a gaea.
Yna, daeth mis Awst.
Ochneidiodd yr haul a hunodd Nain.
Daeth yr injan i stop.
Heddiw, mi a' i i roi'r dillad allan i chi, Nain.
A wedyn mi 'stedda i am dipyn
i'w gwylio nhw yn chwifio yn y gwynt.
Casia Wiliam

554   O'i gweld yn awr, nid yw ei thlysni set
ddim gwaeth na gwell na gwreigen fach arferol,
llond pen o edau eira o dan yr het
a gwên ei threm ynghudd dan ffrâm ei sbectol.

Ond gwelaf stafell wyll drwy dwll y clo,
ac yno ar y lein mae llun gwahanol ...

ond chwarddiad bach yr enfys sgafna' erioed
yn harddu lens Sadyrnau tair blwydd oed.
Llion Pryderi Roberts

taid

555   Ac, yn niwedd fy nyddiau,
Yr amlaf un o'm geiriau.
Ydi 'Paid'.
Peth fel yma, felly, y mae'n rhaid,
Ydi'r stad o fod yn daid.
Gwyn Thomas

556 Dau wyneb yn tebygu,
dwy law yn cydio'n dynn,
y naill ar drothwy bywyd
a'r llall a'i wallt yn wyn.

Ac wrth i un heneiddio
a'r llall i dyfu'n iau,
mae'r bwlch o ddwy genhedlaeth
rhwng taid a'i ŵyr yn cau.
Ken Griffiths

557 Mae 'nhaid nawr yn mynd yn hen,
Ddoe'n graig a heddiw'n gragen ...
Dic Jones

558 Ŵyr a'i daid yn hwyr y dydd,
y sêr mas ar y meysydd,
a'r nos drwy'r clos yn culhau
i led yr adeiladau.
Taid, o raid, yn creu wedyn
wên o gwsg i'r bachgen gwyn.
Hywel Griffiths

modryb
559 Gwledd yw modrybedd; daw'r rhain
i'n cof yn brydau cyfain,
a'n braint yw pob rhyw 'Anti'
ddaw'n haul i'n teuluoedd ni.
Annes Glynn

6.10. Cartref
560 A glannau gwag eleni yw'r aelwyd ...
        ond erys tonnau'r stori.
Ieuan Wyn

561 Bu'n llawn bob stafell lonydd
o hwyl a dyddiau dedwydd,
a llawn bob hyn a hyn o strach,
ond llawnach o'n llawenydd.
Eurig Salisbury

562 Rhag gwae'r storm, rhag gwres y dydd, – awn bob tro
I chwilio yno am yr 'echel lonydd'.
T. Llew Jones

563 Mae'n faich o warth ac mae'n nef o chwerthin.
Dic Jones

564   Yn do ar danllwyth o dân, y copor
       sydd yn capio'r cyfan.
Merched y Wawr Ceredigion

7. Ni a nhw

7.1. Ni

565   Yn ôl tystiolaeth yr oesau
     Ni all unrhyw wyrth ein newid, ein diddyfnu
     Ni o greulonderau:
     Ni newidir Ni.
Gwyn Thomas

566   Yr un ennyd, gronynnau o dywod
     a adawyd ar draethau
     am un dydd ydym ni ein dau.
Gerallt Lloyd Owen

567   Beth yw perthyn ond perthi sydd yn cau
     dieithriaid allan?
       ... Dyw cymuned glòs
       ddim yn cynnwys pob enaid.
Gwyneth Lewis

brawdoliaeth

568   Bendithia holl deuluoedd byd
       â grasol lendid nef,
     a thrwyddynt rhwymer dynol-ryw
       yn un frawdoliaeth gref.
Lewis Valentine

569   Mae rhwydwaith dirgel Duw
     Yn cydio pob dyn byw;
     Myfi, Tydi, Efe.
Waldo Williams

570   Pa werth na thry yn wawd
     Pan laddo dyn ei frawd?
Waldo Williams

571   Un ydym, un yw'n bydoedd, un teulu gwiw
     yn anadlu yw'r holl genhedloedd.
Robin Llwyd ab Owain

572   Yr oet wrth fy ochr bob tro,
     yn y tân, roeddet yno.
Ceri Wyn Jones

7.2. Nhw

dieithryn

573   Gwelais . . .
nad o's dieithrwch na dieithriaid,
dim ond dieithryn.
Mererid Hopwood

ffoadur

574   Fe wêl ar sgrin ddiflino
resi trist yn aros tro.
Nhw y dynion diwyneb
a dienw, nhw sy'n neb.
Di-air yw ffoaduriaid,
di-air o hyd ydyw'r 'haid'.
Aneirin Karadog

hynod

575   Y mae pawb i bawb sy'n bod
yn wahanol, a hynod.
Aled Lloyd Davies

576   Ni'n hunain sy'n eu henwi, – y bobl
     Sy'n wahanol inni;
     Ond ni'n hunain yw'r rheini,
     Waeth iddyn Nhw, nhw 'yn ni.
Dic Jones

8. Gweld yr enfys drwy y glaw

aberth

577   Un gwâr yw y gŵr a all
roi ei orau i arall;
rhoi ei ddawn o'i wirfodd heb
ildio i'w hunanoldeb.
John Glyn Jones

alaw

578   Cân i mi'n gyffes f'offeryn oesol,
Reggae gwahoddiad a'r *blues* tragwyddol.
Robin Llwyd ab Owain

579   Mae alaw pan ddistawo
Yn mynnu canu'n y co'.
Dic Jones

580 Mudodd, ond heb ymadael,
y mae'r gân yma ar gael ...
Myrddin ap Dafydd

581 Nid yw'r gân o hyd ar goedd
mae alaw na chlyw'r miloedd ...
cân wag rhwng pell ac agos
na ŵyr neb, na'r dydd na'r nos,
y dôn, na dim amdani,
na ffordd hon o'm cyffwrdd i.
Mererid Hopwood

582 Wyt alaw mewn tawelwch, wyt weithiau'n
cynnau canhwyllau yn fy nhywyllwch.
Robin Llwyd ab Owain

cyfansoddi
583 Ac mae ein nodau ym mhobman,
yma'n bod ers dechrau'r byd;
maen nhw'n syrthio fel llwch o'r sêr
a glanio bron yn gyflawn
ynof; ychwanegaf fi
ryw elfen o orfoledd ...
Sian Owen

Cwlwm
584 Er dirwyn o'r dihirod ein hedau
gyfrodedd i'n datod,
tyn yw rhwymyn yr amod,
cwlwm hen batrwm ein bod.
Ieuan Wyn

Cwlwm Celtaidd
585 Y llinell sydd yn llinyn o gylchoedd
ar gylchoedd diderfyn ...
Crannog

cydwybod
586 Anodd iawn fydd imi ddod
i wynebu 'nghydwybod.
Waunfawr

587 Mae un y tu mewn i mi
a'i sibrwd yn fy sobri.
Mari Lisa

588 Y gŵr nad yw ond geiriau
a'r geg nad yw fyth ar gau.
Meirion MacIntyre Huws

cyffes
589 Grym di-ball yn dy drallod;
a'i darged yw argae cydwybod.
Llanarmon Dyffryn Ceiriog

cymwynas
590 Na chwyd arian amdani
na dy lais i'w hedliw hi.
Ardudwy

591 Rhoi rhywun o flaen hunan a rhoi mwy
na geiriau mân ...
Gwenallt Llwyd Ifan

cysgu
592 Pan ddelo'r hwyr a'i gwrlid dros y byd
a'r lloer a'i llewych llon yn gwylio'i grud,
wrth fynd i gysgu, am gael bod yn fyw
mi ganaf innau fawl i'r Arglwydd Duw.
Glyndwr Richards

cysur
593 Rhyw un awr mor werthfawr yw,
awr hud o gysur ydyw,
awr i Dad gael stori'r dydd ...
Tudur Dylan Jones

chwerthin
594 Mae ceiniogwerth o chwerthin
yn well na seler o win.
Gareth Owen

daioni
595 Daioni byd yn y bôn
Yw daioni rhai dynion.
Alan Llwyd

deall
596 Drwy'r hen fref, cyn bod llefydd – ar y map
cyn creu mur a hewlydd,
fe wyddai defaid y dydd
mai eu hŵyn biau'r mynydd.
Y Taeogion

597 Ond gall y deall rhwng dau
ragori ar y geiriau.
Gwilym Fychan

dedwyddwch

598 Cyn bod yn ddedwydd rhaid i'r gŵr
Gau ei lygaid weithiau'n siŵr.
Dic Jones

599 Dedwydd yw dynion didwyll,
digalon dynion o dwyll.
Donald Evans

600 Gwelwn o bryd i'w gilydd,
am eiliad ymylon byd dedwydd.
W. Leslie Richards

601 Hen win, a chriw hamddenol yn mwynhau
eu min hwyr llenyddol ...
Dai Rees Davies

distawrwydd

602 A du a'r gwyn yn distaw gau
distawrwydd dwys, dieiriau.
Ieuan Wyn

603 Arian rhugl yw geiriau'n rhwydd
Ond aur sydd mewn distawrwydd.
Derwyn Jones

604 Ond er gweiddi'n dragwyddol
Ni fyn neb ateb yn ôl.
Derwyn Jones

605 Paid enwi yr hyn sy'n aneglur.
Paid enwi yr hyn sydd yn glir.
Gad i ni eistedd yn dawel
a chanfod, o'r newydd, ein gwir.
Casia Wiliam

606 Ysgafn fel eira'n disgyn yn dawel,
dawel ar flodeuyn,
nid oes namyn Duw ei hun
all glywed esgyll glöyn.
Gerallt Lloyd Owen

doethineb

607
Doethineb y bocs sebon:
dyna yw'n byd, yn y bôn.
Rhys Iorwerth

608
O, doed imi'r doethineb
i fyw angerdd fy nghân
yn y funud fer
cyn i sbectrwm bywyd
droi yn ddu a gwyn,
a chyn troi fy mhoen
yn gyfres o sylwadau
sy'n araf golli'u lliw
ar ymylon tudalen frau fy nghof.
Elin ap Hywel

dychwelyd

609
Ni ddaw man mor ddymunol i'm henaid ...
    â'r fan hon lle'r af yn ôl
    i huno yn derfynol.
Iwan Morgan

610
Ond cyn bo hir af eto ar ryw sgawt
    Tuag Eryri'n hy, ac fel pob tro
Mi wn na wêl fy llygaid unrhyw ffawt ...
    Yng ngwedd yr hen fynyddoedd. Af o'm co'
Gan hagrwch serchog y llechweddau syth,
Gan gariad na ddiffoddir mono byth.
T. H. Parry-Williams

dychymyg

611
A gresyn nad yw dychymyg dyn
wrth agor y cloriau, yn amlach na pheidio,
yn ddim ond tystiolaeth o'i gamgymeriadau
a'i ddawn i'w hailadrodd; dawn llungopïo.
Dafydd John Pritchard

612
Ac nid oes na gwyddor nac awen ychwaith
A ŵyr ble mae'r ffin rhwng dychymyg a ffaith.
Dic Jones

613 Lôn wedi'i chreu gan leuad
yw lôn yr artist drwy'r wlad
go iawn, dim ond breuddwyd gudd
ydi'r cwrs drwy y corsydd;
llinell y saeth haniaethol
hyd y mawn – a dim o'i hôl.
Myrddin ap Dafydd

614 Mae dewin yn fy mhen o hyd
sy'n mynd â mi i harddach byd.
R. Bryn Williams

egwyddor

615 Tri pheth a'n clyma'n blethwaith:
ein tir, ein cof hir, a'n hiaith.
Alan Llwyd

euogrwydd

616 Hiraethaf am wefr o'r euogrwydd mawr
pan fo'r ceiliog yn gollwng ei gân i'r wawr.
Vernon Jones

ffrae

617 Newydd yw'r harmonïau
ddaw'n ffrwd o goluddion ffrae.
Robin Llwyd ab Owain

ffynnon

618 D'orffennol di yw'r ffynnon
ry iechyd it – drachtio o hon.
R. E. Jones

gobaith

619 Beth yw Gobaith? Y gwybod
o dan y bai fod da'n bod.
T. Llew Jones

620 Er i'r prudd leithio gruddiau ...
Wedi ing yr hir dristáu
I dŷ galar daw golau.
Dic Jones

621 Ceisio gobeithio tra bôm
yw hanes pawb ohonom.
Elwyn Evans

622   Gweld o bell yr wyf bellach, lawenydd
drwy wydrau ffydd wawrddydd iach
a nef i un a fu'n afiach.
Dic Goodman

623   Gwyn fyd o hyd, a gredo–'n ei galon
      Pan fo'n galed arno,
    Y rhydd haul, er prudd wylo,
    Ymyl aur i'w gwmwl o.
T. Llew Jones

624   Yn y tywyllwch 'ma
mae 'na rwbath yn cuddio.
Peth swil ydy o weithiau
er na ddylai fod.
Gobaith yw ei enw fo.
A does dim lladd arno.
Sion Aled

625   Ymlaen, er na wn ymhle ...
    Uwch y niwl a düwch ne'
    Darn o'r haul draw yn rhywle.
Dic Jones

626   Yn yr heth a'r rhew eithaf
mae llygedyn hedyn haf.
Myrddin ap Dafydd

gofal

627   Heb ofal maith, diffaith dir,
heb anwyldeb, anialdir.
Medwyn Jones

goleuni

628   Fel y gân yn y galon
Ar droad y rhod,
Ni wyddom beth ydyw,
Dim ond gwybod ei fod.
Dic Jones

629   I ledrith un pelydryn
plethwyd saith yn gampwaith gwyn.
Glyndwr Thomas

gorwel

630   Mae'r llinell bell, yn wir, yn bod
a'r hen derfyn, yn wir, yn ddiddarfod.
Caryl Bryn

631 Rhywle yn fan'cw ar fôr dychymyg,
tu hwnt i afael emosiynau ffyrnig,
mae cerdd yn 'stwyrian; ond mae'r geiriau'n styfnig ...

A rhywle rhwng fan'cw a'r gwynt a'i rethreg
yn chwip ar wyneb, a diferion aestheteg,
yn ochenaid rhyw don fe ildir telyneg.
Dafydd John Pritchard

gwaddol

632 Mae un gân o'n mewn i gyd, – un awen
Sy'n dyfnhau drwy'n bywyd,
A geiriau bach all greu byd
O heulwen ddifrycheulyd.

Gwaedd dyn yn erbyn y nos yn enwi'i
Hunan o'r marwydos;
Enwi'r haul sy'n crwydro'r rhos,
Enwi lloer na all aros.
Gwynfor ab Ifor

gwaredwr

633 Myn Duw mi a wn y daw.
Dafydd Iwan

634 Y gŵr sydd ar y gorwel.
Gerallt Lloyd Owen

gwawd

635 O drigfa gwawd a rhagfarn
Y daeth annibyniaeth barn.
Alan Llwyd

636 Y gost o sefyll drosti – yn gadarn
yw'r gwawd a ddaw inni ...
John Glyn Jones

gweld

637 Nid oes olau ond y Golau,
Nid oes fywyd ond y Gair;
Agor fi i'w weld a'i glywed
Uwch rhialtwch gwyllt y ffair ...

Cwyd y cen oddi ar fy llygaid,
Cynorthwya 'ngolwg gwan,
Fel y gwelwyf innau'r golud
Sy'n guddiedig ymhob man.
Gwynfor ab Ifor

gweledigaeth

638 I'r ychydig unigryw – ordeiniwyd
        Gorau dawn dynolryw
        I wneud yr hyn nad ydyw ...
Dic Jones

gwendid

639 Nid eiddil pob eiddilwch,
        Tra dyn, nid llychyn pob llwch.
Gerallt Lloyd Owen

640 Yn fy nghryfder mae fy ngwendid,
        yn fy ngwendid mae fy nerth.
Idwal Lloyd

gwir

641 Creu gwir fel gwydr o ffwrnais awen.
Gwyneth Lewis

642 Y sawl a draetha'r gwir o'r galon
        A gaiff gas ei holl gyfeillion.
Dic Jones

643 Gwâr ei fyd yw'r gŵr a fedd
        un gronyn o'r Gwirionedd.
Donald Evans

gwlad

644 Ond cariad at wlad a lŷn;
        y mae harddwch mewn murddun,
        ac o lwch daw dolydd glas,
        aileni o alanas.
        O farwydos y frodir
        daw tân i gerdded y tir.
John Glyn Jones

gwladgarwch

645 Beth yw gwladgarwch? Cadw tŷ
        Mewn cwmwl tystion.
Waldo Williams

gwybod

646 Mae Gwybod am wybod mwy,
        Dyna'r nod annirnadwy.
Dic Jones

llanast

647   Yng nghorlan y bychan bydd
y llanast yn llawenydd.
John Glyn Jones

llanw a thrai

648   Fel y cefnfor yn torri,
mynd a dod yw'n hanfod ni;
mynd a dod am nad yw dyn
yn fwy na chynnwrf ewyn.
Alan Llwyd

649   Wedi ein hwb o adnabod, awn am dro
        yma i draeth hen gymod,
      ond y don a'i mynd a dod
       a fu'n denu, sy'n danod.
Cyril Jones

llathen

650   Gwŷr o athrylith; ond gyda bodau o'r fath
Nid yw mesur eu llathen hwy yr un hyd â llath.
T. H. Parry-Williams

llaw

651   Ond 'all fy nwylo wneud dim byd
os yw fy nwrn ar gau.
Tudur Dylan Jones

652   Un llaw yn cydio'n y llall,
hyn a ddaw â chyd-ddeall.
Tîm Gogledd Ceredigion

653   Rhoddaist law i'r llaw'n y llaid
a dihunaist ei henaid.
Robin Llwyd ab Owain

654   Yn y llaw fach mae'r holl fyd.
Robin Llwyd ab Owain

llawenydd

655   Llwynog yw pob llawenydd
Sy'n dod a darfod 'run dydd.
W. Rhys Nicholas

656   Pabell unnos ydyw pob llawenydd,
Dyfod anorfod rhyw siom a'i gorfydd.
Dic Jones

657   Tydi a wnaeth y wyrth, O Grist, Fab Duw,
Tydi a roddaist imi flas ar fyw:
Fe gydiaist ynof drwy dy Ysbryd Glân
Ni allaf tra bwyf byw ond canu'r gân.
W. Rhys Nicholas

658   Yn don o waelod enaid ...
i weithio'r wyrth fel wrth raid
a chân lle'r oedd ochenaid.
Crannog

llonydd

659   Mae'r sêr fel petaen nhw'n nes yma,
tragwyddoldeb o fewn hyd braich
ac ar hwyrnos o Ebrill
cei'r gornel fach hon o'r byd
i ti dy hun a'th Dduw ...
Aled Lewis Evans

660   Ie, at y traeth af bob tro –
fe wn y caf yno
dawelwch yn y dilyw,
puraf oll po arwaf yw.
Ceri Wyn Jones

Myfyrio

661   Tyn atat ana'l eiliadau na fu;
atat, ochneidiau'r dychymyg du;
na hola, mewn lludded, beth tybed sy'n bod? ...
Tyn atat eiliad; tyn atat ddwy;
gollwng di heddiw. Daw 'fory â mwy.
Sian Owen

662   Oeda i gau'r drws ar fyd geiriau'r dryswch,
oeda, mae'n amser chwilio'r tynerwch,
eiliad i hawlio'r wlad o dawelwch ...
Mererid Hopwood

llwybr

663 Mae'r lôn na ddilynais yn cymell o hyd
a'i glesni'n addewid, fel dalen
ddieiriau, yn irder sy'n fyd
i'w ganfod a'i droedio yn llawen ...

Y lôn na ddilynais! Fe ddof ati hi
ar wadnau prynhawniau hydrefol,
ond er ei hatyniad troi'n ôl a wnaf i
at gysur rhigolau cartrefol.
Annes Glynn

llwyddiant

664 Di-baid ein blys am fynd bant
i'r lle hawdd lle ceir llwyddiant.
Wyn Owens

665 Fe ddaw llwydd o wall i wall
Yn y diwedd â deall.
Ond profi melyswin hen gyfriniaeth
Yn y mêr yn ymyrraeth – gan ddyfnhau
A throi yn eiriau wlith rhyw hen hiraeth.
Dic Jones

map

666 Ni welir fod 'na niwlen – yn lledu'n
llediaith dros fro'r llechen;
ni wêl neb yr un Lôn Wen
na'i dolur ar dudalen.
Meirion MacIntyre Huws

mawl

667 Rhodder i ŵr a'i haeddo
Ei fawl cyn ei gladdu fo.
Dic Jones

milltir

668 Unwaith a mi'n llawn ynni, byr ydoedd
I lanc brwd a heini;
Mae'r llanc yn hen eleni,
A hir yw milltir i mi.
Ieuan Wyn Jones

nofio

669 Mae traeth Tre-saith yn codi llaw
a dwinna'n ffarwelio efo rhywbeth.
Heb ffôn fach na cherdyn banc,
heb boced ddofn yn llawn 'nialwch,
yng nghysgod clogwyn
rydw i'n unrhyw un
neu'n neb.
Casia Wiliam

nos

670 Anian yn prysur daenu
Hyd lwyn a dôl liain du.
Dic Jones

671 Ni wŷr neb pa liw yw'r nos i arall.
Mererid Hopwood

672 O daw'r nos i deyrnasu, – dyrys dref
Gwyll dros dro yw'r fagddu;
Fe ddaw'r sêr i dyneru
Erwau dwfn y dyfnder du.
Derwyn Jones

673 Pan fyddo dwylo dewin
Yn llenwi'r nos â sêr ...

Mi af i'r hafod Ifan ...
Bydd cannwyll yn y ffenestr
Yn ôl yr arfer hen,
A'i fflam forwynol ar y bwrdd
Yn llosgi parddu'r nos i ffwrdd.
Derwyn Jones

paradwys

674 Nid oes paradwys fel paradwys ffŵl.
T. H. Parry-Williams

675 Bro llawn cnwd, bro llwyni cnau
a bro annwyl y bryniau.
Ioan Machreth

676 Bwthyn heb fawr o bethau a fu'n nef
i Nain gynt a minnau ...
John Rowlands

677 O na allwn droi'r allwedd, – neu gau bollt
        rhag y byd a'i bwylledd,
    a chael o hyd i wych wledd
    einioes o afradlonedd!
Meirion MacIntyre Huws

pethau bychain

678 Nid Credo ond pethau bach bob dydd
    Yw sylfaen bywyd a phinaclau ffydd.
T. E. Nicholas

679 Pethau mân yw'r pethau mawr.
Myrddin ap Dafydd

680 Stori dau, yn bethau bach
    bob-dydd, byw-a-bod eu hoes,
    yn y manion mae einioes.
Ieuan Wyn

681 Tyrd, anghofiwn y cyfan
    a gwelwn ogoniant ein gwinllan
    yn y pethau bychain.

    Tyrd, anghofiwn y cyfan,
    a rhedwn â'r gwynt ar ein gruddiau
    allan i groesawu'r haul.
Gwyn ap Gwilym

pobol gyffredin

682 Y brain blêr nid yr eryr, – rafin
        nid prifardd segur
    pobol â ch'lonnau pybyr,
     y cewri mân sy'n creu mur.
Meirion MacIntyre Huws

poen

683 O dan y boen mae da'n bod
    Ni ddarfyddai'i ryfeddod.
Dic Jones

684 Poenus yw'r campau anodd;
    o boen y daw rhyngu bodd.
James Nicholas

Samariaid

685 I'm cynnal pan fo'r galw – yn yr hwyr
        fe ddaw i'm cadw ...
Y Garfan

tangnefeddwyr

686 Edrychasant yn llygad y bwystfil a gwelsant y nef
a throesant bob bom yn golomen;
troesant y gynnau'n rhosynnau, a'r sarff yn oen
gorchuddasant bob bidog â'u blodau a phob helmed â'u palmwydd,
canfuasent enfysau cyn i'r haul ddisgleirio drwy'r glaw
a cheinder y byd yng nghanol mochyndra a baw.
Alan Llwyd

687 Gwyn eu byd tu hwnt i glyw,
Tangnefeddwyr, plant i Dduw.
Waldo Williams

te angladd

688 Fan hyn, mae 'na ysgafnhad
mae hi'n siŵr mewn mân siarad.

Down 'nôl at ein bywyd ni ...
anwesu byd – ac mewn sbel
yn ein du, bydd gwên dawel.
Myrddin ap Dafydd

tragwyddoldeb

689 Pan fo'r trai yn troi yn llanw
A'r llanw'n troi yn drai,
Ys gwn ai tragwyddoldeb
Yw'r eiliad rhwng y ddau?
Dic Jones

690 Pan ildia'r drwm olaf heb atsain i'w ateb,
Mae'n clustiau ni'n canu gan sŵn tragwyddoldeb.
Huw Meirion Edwards

tyfu

691 O iard yr ysgol a thua'r dolydd
mae e am unwaith am ddringo'r mynydd,
a dilyn antur hyd lan y nentydd
at orwel unig tu hwnt i'r lonydd;
un bachgen â'i lawenydd – sy'n cerdded
i'r haf diniwed a'r profiad newydd.
Geraint Roberts

unig

692 Pan fwyf yn teimlo'n unig lawer awr
heb un cydymaith ar hyd llwybrau'r llawr,
am law fy Ngheidwad y diolchaf i.
John Roberts

yma

693 Er gwaethaf pawb a phopeth,
R'yn ni yma o hyd.
Dafydd Iwan

ymwybod

694 Ynom mae y Clawdd a phob ymwybod,
y tir hwn a godwyd rhyngom â'r gwastadedd blin.
Bryan Martin Davies

yn erbyn y llif

695 Cryf o hyd yw'r criw a fo'n
rhwyfo i fyny'r afon.
Tudur Dylan Jones

9. Ni feidrolion

adnabod

696 Nid hawdd yw adnabod dyn.
D. J. Jones

adolygydd anghymwys

697 Boio sy'n haeddu bwyell
yw'r un a wêl fai ar ei well.
Einion Evans

anghytuno

698 Yn ddistaw rwy'n dweud 'Na-wes'
pan fo'r byd yn dwedyd 'Wes'.
Dewi 'Pws' Morris

ansicrwydd

699 Bûm yn hongian yn hir ar y bachyn
Rhwng terfynau gwybod ac anwybod.
J. Eirian Davies

arian

700 Ba ŵr sy lle bo arian
a geir heb newid ei gân.
Trebor Roberts

ateb

701 Yn ddieiriau fyddarol
nid oes neb yn ateb 'nôl.
Waunddyfal

awgrym

702 Â dau air a ddwed araith,
geiriau mud yw grym ei iaith.
Fred Jones

bai

703 Chwilio rhywrai i'w beio a wna dyn ...
pan ddaw'r dinistr heibio.
Crannog

704 Ef a ŵyr feiau arall
i'w eiddo'i hun sy'n llwyr ddall.
J. R. Jones

705 Heb un bai ni bu bywyd;
diangen fai nef hefyd
pe na bai ein bai'n y byd.
Idwal Lloyd

706 Nid yw bai yn dod i ben,
Fe ddeil nes trof y ddalen.
Dic Jones

barnu

707 Ceir y farn drymaf arnom
gyda'r dyn a gwyd o'r dom.
Idwal Lloyd

708 Ein gyrru gawn gan gerrynt pob piniwn,
ein penyd yw'r croeswynt ...
Penrhosgarnedd

camgymeriad

709 Credu na wneir un arall
Yw'r olaf a'r gwaethaf gwall.
Dic Jones

710 Lle bo nam, pa fodd campwaith?
Alan Llwyd

camp

711 Ni bu gamp na wybu gur.
Donald Evans

cân

712   Nos eos a thylluan –
yr un gwyll, nid yr un gân.
Gerallt Lloyd Owen

carchar

713   Ein hanes yw'r cadwyni
a'r Gymraeg ei muriau hi.
Idris Reynolds

714   Mae'r llencyn yn y jêl
a 'dyw Cymry'n malio dim.
Dafydd Iwan

ceffyl blaen

715   Fynycha, dyn dŵad yw – yn frithach
ei frethyn na'r rhelyw…
Dic Jones

celwydd

716   Gwaith caled gweithio celwydd.
Gerallt Lloyd Owen

717   Mor rhwydd mae'r mân gelwyddau
Yn tyfu'n dennyn rhwng dau …
Huw Meirion Edwards

718   Mor wag yw calon sy'n magu celwydd.
Mererid Hopwood

719   Troediwr buan yw'r anwir
ond ara'i gam ydyw'r gwir.
Idwal Lloyd

clod

720   Ni bu ŵr nad yw'n barod
i roi glust i air o glod.
Gwilym Fychan

clown

721   Ei wên drist a'i wallt llwyn drain
Yw ein hwyneb ni'n hunain.
Dic Jones

cur

722   Mwya'i gais am ei gysur
y mwya'i gŵyn am ei gur.
Dewi Phillips

cyfoeth

723 Hawdd i bawb sy'n dda eu byd
anghofio fod ing hefyd.
Iorwerth H. Lloyd

724 Hel a hel wna rhai o hyd,
gwely di-gwsg yw golud.
Richard Lloyd Jones

725 Mae gennym werth amgenach
nag aur y byd, – geiriau bach
ein llên a'n hen, hen hanes.
D. J. Thomas

cynddaredd

726 Mor wag yw'r dweud sy'n magu dig.
Mererid Hopwood

727 Yn nydd oer ein cynddaredd
ein hangen yw heulwen hedd.
Donald Evans

cynnen

728 Ac mae chwarae'n troi'n chwerw,
mae'r gwin yn troi'n sur ...
Caryl Parry Jones

chwant

729 Fe â bywyd yn anniben
pan fo chwant yn fwy nag angen.
Idwal Lloyd

dafad ddu

730 Y tu ôl i bob teulu mae hanes
am un fu'n troseddu
ac mae had y ddafad ddu
yn hawdd i'w etifeddu.
John Glyn Jones

dawn

731 Ni wna ei ddawn un yn ddoeth
na'i anallu'n un annoeth.
Tomi Evans

diflastod

732 Os yw'n cŵl i fod yn ddiflas,
diawch, mae'n ddiflas bod yn cŵl.
Ceri Wyn Jones

edifarhau

733   Mae'n rhy hwyr, a'm henw'n rheg
Ynot, lle bu'n delyneg.
Huw Meirion Edwards

734   Yn y ffair, hawdd bod yn ffôl
ond fory'n edifeiriol.
Emrys Jones

735   Yn hwyr daw'r ymddiheuriad
a rhy hwyr yr eglurhad ...
Meirion MacIntyre Huws

esgus

736   Dy arf, a'r gwir ar ddarfod
dy g'wilydd, ryw ddydd, i ddod.
Talybolion

etifeddiaeth

737   Cawsom wlad i'w chadw,
darn o dir yn dyst
ein bod wedi mynnu byw.
Gerallt Lloyd Owen

738   Troesom ein tir yn simneiau tân
a phlannu coed â pheilonau cadarn
lle nad oedd llyn.
Gerallt Lloyd Owen

739   Ond honno'n y cyfnod hwn
a niweidiwyd gennym yn ein nwyd am gynnydd;
y wyrth a aberthwyd
ar allor y rhagor o hyd.
Donald Evans

fandalwaith

740   Y lle y bo llaw heb waith
yno dilyn fandalwaith.
R. E. Jones

ffàg

741   Agor y papur gwyn, tyn,
a gosod y baco â gofal milwr yn llwytho gwn.
Rowlio a llyfu a'i ddal i fyny yng ngolau'r lleuad.
Fy fflag wen. Dwi'n eistedd ar y rhiniog
i danio ac ildio,
tan bore fory.
Casia Wiliam

ffair

742 Eto o hyd down 'n ôl at hon:
yr oedd nefoedd mewn ofon.
Ceri Wyn Jones

ffolineb

743 Dim ond ffŵl sydd yn gofyn
pam fod eira yn wyn?
Dafydd Iwan

744 Ni ŵyr fod llais mewn stori;
ni chlyw iaith, na'i chwilio hi,
hwn y dyn, drwy'i fynd a dod,
rhy fyddar i ryfeddod.
Tudur Dylan Jones

ffug newyddion

745 Dwy flynedd ryfedd fu'r rhain,
straeon nyts drwy'r we'n atsain,
rhai'n gwyrdroi'r un gair droeon
neu'n nyddu sbîl newydd sbon
ac yn hau celwyddau lu,
rhoi twyll ar dwyll i'n dallu ...
Eurig Salisbury

gwers

746 Yn annisgwyl ces fy nysgu – i wylied
            fy nwylo wrth garu;
        anodd iawn, 'rôl llygad ddu,
        yw i anghofio hynny.
John Glyn Jones

gwerthu

747 Gêm fach, igam ogam fu,
gwyddbwyll o dwyll a dallu.
Emyr Lewis

748 Mae mwy ar werth pan werthir
ein daear na darn o dir.
Tomi Evans

gwg

749 Fel cymal ar dudalen, mae yno
i minnau i'w ddarllen.
Abergele

gwylio

750 Gwylia ŵr triagl-eiriau,
dan y siwgwr mae gŵr gau.
Donald Evans

gwystl

751 Y mud yn y gêm yw o
ac enaid i'w fargeinio.
Môn

heddwch

752 Taenu trais ar drais yn drwch
yw lladd i ennill heddwch.
John Penry Jones

hunanoldeb

753 Y blaid dragwyddol fwya' un,
y blaid i 'Bob un Drosto'i Hun'.
Dic Jones

llw

754 Yn y llan hawdd tyngu llw,
Wedyn nid hawdd ei gadw.
Iwan Bryn James

llwfrgi

755 Wyf y bardd sy'n dy arddel ...
Wyf ffrind distawa'i ffarwél,
Wyf sedd wag wyf swydd ddiogel.

Wyf flaenaf ym mhob safiad ...
Wyf ffyddlon gynffon y gad,
Wyf flaenaf fy niflaniad.

Wyf ddewraf yn f'ystafell ...
Wyf ynghudd yng nghof fy nghell,
Wyf y llwfrgi'n fy llyfrgell.
Gerallt Lloyd Owen

maddau

756 Hawdd gan y galon faddau,
Y co' o hyd sy'n nacáu.
Dic Jones

maddeuant

757 Aros am ymddiheuriad
wnawn erioed cyn ei roi.
Tir Mawr

man gwyn man draw

758 Dyma wlad dyheadau,
harbwr yw i'n llestr brau,
erwau gleision, aeron haf
ac awel yn nhwll gaeaf.

Yn ein gwaed, y mae'r man gwyn
a'i rith mor hen â'n brethyn.
Annes Glynn

759 Mae un man ynom o hyd, un rhywle
yn yr haul, un ddelfryd,
un haf sydd byth a hefyd
yn llond fy mhen, ben draw'r byd.
Rhys Iorwerth

760 Gweled fod haf yn brafiach ...
yna o weld, canu'n iach
o flys am borfa lasach.
Idris Reynolds

meddwi

761 Mae'n meddwi'n hawdd, medden nhw,
Ar gariad fel ar gwrw.
Dic Jones

methu

762 Anystwyth oedd gymnasteg – ei feddwl,
Anfuddiol bob adeg;
Rhyw ddawn taro un ar ddeg ...
Derwyn Jones

763 Hwn ni chais ar drafael chwim – i'w oes salw
Na sylwedd nac undim;
Camp ei ddechrau – dechrau dim,
A'i ddiweddu yn ddiddim.
Derwyn Jones

mwg

764 Hudwr cêl uwch lludw'r co'
yn hiraethus ledrithio.
Aberystwyth

na

765 'Na' i wledydd mewn tlodi ...
'Na' i'n llef am gartrefi.
a 'Na' o hyd i'n hiaith ni.
Tegeingl

newyn

766 Er hau dyfal hyd dalar ...
newyn fydd ar ein daear
os yw un am fwy na'i siâr.
Dai Rees Davies

nonsens

767 Aeth yng nghlorian yr annoeth
'Gomon sens' yn nonsens noeth.
Dic Jones

ofn

768 Ac er i'r clwyf dyfu, mae'n rhaid i ni gredu ...
daw Trefn sy'n Drech nac Ofn.
Mererid Hopwood

769 Dirion Dad, O gwrando'n gweddi,
gweld dy wedd sy'n ymlid braw;
dyro obaith trech na thristwch,
cynnal ni yn nydd y praw ...
Tudor Davies

770 Hwyrach na fyddai'n barod
i dderbyn fy nherfyn anorfod.
Bro Ddyfi

771 Mae ogof ddu rhwng meini yr ymennydd
lle y trig ofn.
Desmond Healey

772 Ofni wnaf yn nwfn y nos
lluoedd anwel y ddunos.
Wyn Owens

773 Pan fo holl rym tywyllwch dros y byd,
A rhyddid wedi'i fygwth ar bob tu ...
Pan nad oes dim ond dychryn ar y sgrin
A dim ond nos yr ochr draw i'r llen,
Diffoddwch y teledu am y tro,
Agorwch lenni'r lolfa led y pen,
Cofleidiwch yr anwybod, ewch ag o
Tu allan ar y stryd fel cyllell wen
I dorri drwy hualau'r ofnau sydd
Yn cadw pawb yn saff rhag bod yn rhydd.
Hywel Griffiths

Parlys Cymru

774 Rhannu'r ofn a wêl
ateb yng ngheg y botel.
Berwyn Roberts

775 Dim ond sŵn gwag y gragen – a hiraeth
    Moroedd digystrawen;
    Deil ddoe hyd hewlydd awen,
    A'n hiaith wedi mynd yn hen.
Gwynfor ab Ifor

rhagrith

776 Ar ei air, gŵr da, di-draul,
ond mewn gweithred mae'n gythraul.
Dewi Phillips

777 Na lunia air tu ôl i neb
na fynnit ef i'w wyneb.
Emlyn Oswald Evans

sen

778 Maths o'dd y lesyn ac mae'n fyw fel ddo'
i'r dryw o'dd yn osgoi'i lygad e,
a'i ŵn fel brân yn hedfan mewn i'w go'
o'r coridore hir tu fa's i rŵm 2A.
What is square ... squared? yn eco yn ei ben,
Ba-baglu balanso'r ateb ar raff iaith fain.
Do you stammer boy ... boy? a'r eco'n awr yn sen
am nad o'dd ystyr i *stammer*, na siâp i'w sain.
Cyril Jones

streic

779 Streic yn weithred ddiwydiannol?
Dyna baradocs rhyfeddol.
John Roderick Rees

terfysgaeth

780 I ni, holl blant diniwed yr oesoedd,
    nid oes drws ymwared
    rhag ffydd gul, rhag ffydd galed
    y galon graig lawn o gred.
Alan Llwyd

twyll

781 A rhwydd mewn oes ddiwreiddyn
yw smalio i dwyllo dyn.
Trebor Roberts

782
Dealled ef a dwyllo,
Na wrandewir ei wir o.
Dic Jones

783
Gwylia law'r cyfarch llawen, – mae 'winedd
Miniog mewn mwyth bawen.
T. Llew Jones

784
Gwylia, ŵr, mor wyn a glân
yw lliw'r twyll o'r tu allan.
John Penry Jones

uchelgais
785
Ai uchelgais
yw sgorio cais ar ben mynydd?
Myrddin ap Dafydd

786
'Rôl chwennych copa uchel – a'i gyrraedd
  yn gawr, ceisia fochel
    yn is beth, a chymer sbel
    gyfaill, rhag ofn colli gafel.
John Glyn Jones

787
Y neb y'i gorchfyga'i nwyd
Fe wiredda ei freuddwyd.
Dic Jones

ynfyd
788
Edrych ai nad ynfydrwydd
rhoi'r cadno i wylio ŵydd.
R. E. Jones

789
O'i wynfa aeth yr ynfyd
i wlad bell i weld y byd.
Morris Jones

9.1. Rhyfel
790
A rhifo fesul miliwn ddyled banc,
'run modd y rhifwn gyrff ar faes y gad
eu cyfrif fesul mil, nid fesul llanc.
Mererid Hopwood

791
Mae rhyfel yn dawelach
Ar ein bocs, rhyw fymryn bach ...
Rhyfel ar orwel yw hwn,
Hwn yw'r rhyfel na phrofwn.
Hywel Griffiths

mynwent

792 Clywn rethreg o bob pegwn
yn un floedd mewn lle fel hwn,
a gynnau angau yn hel
yr ifanc draw i ryfel.
Geraint Roberts

793 *(Mynwent Vis-en-Artois, Ffrainc)*
Mae oriel o baneli – ac allor
   i'r golled yn rhesi,
   eneidiau dirifedi
   a'i enw ef yno i ni.
Geraint Roberts

10. Presenoldeb yr absennol

10.1. Duw

794 A oes yna un dim ar ôl;
rhyw hen, hen ymdeimlad o'r dwyfol
yn ein gweddillion dynol?
Gwyn Thomas

795 Boed Duw i ti'n amddiffyn,
boed iddo iti'n rhan.
Tecwyn Ifan

796 Duw a wnaeth y byd,
y gwynt a'r storm a'r lli,
ond nid yw e'n rhy fawr
i'n caru ni.
Gwyn Thomas

797 Myn y byd addoli eu duw hwy ...
   Ond gwyddom ni mae Duw gweddi
   Ydy'r Un i'r dau neu dri.
Idris Reynolds

798 Pam, O Dduw, fod dynion
yn gallu bod mor greulon?
O ble felly, y daeth yr egni
dygn hwnnw hefyd, mewn dynion
o gariad a thosturi?

Ryw fodolaeth a deimlai fel petai,
fel presenoldeb yr absennol.
Gwyn Thomas

799   Ti Deyrn y bydysawd, arlunydd y wawr,
rheolwr pelydrau, amserwr pob awr,
ffynhonnell pob ynni, a bwyd ei barhad:
tydi, er rhyfeddod, a'n ceraist fel Tad.
Hywel M. Griffiths

800   Tyrd atom ni, O Grëwr pob goleuni,
    tro di ein nos yn ddydd;
pâr inni weld holl lwybrau'r daith yn gloywi
    dan lewych gras a ffydd.
W. Rhys Nicholas

801   Y Presenoldeb hwn a fedd y brif ran;
Ef yw'r act a'r actor
sy'n difyrru'r gynulleidfa gosmig.
Rhydwen Williams

angel

802   Dydi pobl ddim am wrando
ar angylion bellach;
maent mor hynod o amheus o siffrwd eu hadenydd
a Gogoniant yn y Goruchaf.
Aled Lewis Evans

803   *(Pennant Melangell Noswyl Nadolig)*
Mynd yno
fel gwŷr doeth yn gadael eu moeth,
a bugeiliaid yn dysgu peidio ag ofni,
a gwrando yn y tawelwch
am arwydd
fel cân angylion.
Aled Lewis Evans

anghredadun

804   Anghredadun yw fy enw,
Wedi dwlu'n sŵn y ffair,
Nid yw nef ond enw mwyach,
Nid yw uffern ddim ond gair ...
Dic Jones

805   Nid oes gair na chyfeirnod i agor
    Dy neges, neu ganfod
    ar wefan Dy fudandod
    y nod i'n byw nad yw'n bod.
Tony Bianchi

achub

806 Achub fi rhag tröedigaeth
fel na cheisiwyf achub un
a rhoi arno faich diflastod
fy achubiaeth i fy hun.
Gerallt Lloyd Owen

cannwyll

807 Yn y dyfnderoedd du,
yn nhywyll fannau ein bodolaeth
yr ydym ni, lawer ohonom ni
yn reddfol yn teimlo
ryw angen, ar adegau
i gynnau canhwyllau.
Gwyn Thomas

crefydd

808 Y grefydd dderbyniol gennym Ni
ydi un lle'r ydych chi
yn fodlon gwneud rhywbeth buddiol
ac yna'n cael gwobr am hynny.

Peth fel yna ydi crefydd i Ni
sef buddsoddiad rhesymol
yn ein presennol.
Gwyn Thomas

Duw a'r Bardd

809 A dyma'r Iôn wrth yfed disgled o de'n ailagor y plygiade,
roedd isbennawd yn esbonio'n y diwedd un nad oedd o (y bardd)
yn credu'n y creawdwr wedi'r cyfan ddim chwaneg.
'What's new?' ebe Duw yn deg.
Eurig Salisbury

ffydd

810 Anwadal ydyw'r galon, anwadal
fel eneidiau dynion;
nid yw crefydd ond crafion,
nid oes heb ffydd grefydd gron.
Alan Llwyd

811 Cerddwn drwy ddŵr a thân,
Cerddwn â ffydd yn ein cân ...
Dafydd Iwan

812   Diolch iti, Dad yr oesoedd,
Am y ffydd a droes yn fflam
Yng nghalonnau'r saint fu'n d'arddel
Yma ar anturus gam.
Eirwyn George

813   Ffydd yw sicrwydd y pethau ni welir.
Saunders Lewis

814   Gan bwy, ac i ba ddiben, a pha bryd
Y dodwyd yn ein henaid hedyn Cred?
Dic Jones

815   Iaith y gwneud fydd hon, nid iaith y dweud;
iaith y ffydd, nid iaith y duwiol gredoau.
Enwau a fydd yn drugaredd, ansoddeiriau maddeuant,
idiomau gras a chymwynas
a berfau'n gyhyrog gan gariad.
John Gwilym Jones

816   *Iachawdwriaeth*, awdurdod, datguddiad a gras,
be ma' rhein fod i feddwl? Does ryfedd bod ras
   ers blynyddoedd lawer, o'r capeli i'r byd
ac ar ôl COVID, gwag fydd rheini o hyd.
Cen Williams

10.2. Y canol llonydd

817   Gwyn eu byd yr addfwyn rai
sy'n chwilio am y canol llonydd distaw
sy ynof fi fy hun ac ynghanol pob dim.
Steve Eaves

818   Mae gen i ddyfnder
na fydda i'n ei ddangos.
Mae'n ystafell o ryfeddodau
yn y fi go iawn.
Caf gilio yno'n dawel
ac wynebu neb ond fi fy hun.
Aled Lewis Evans

819   Mae'r profiad ambell waith yn fwy
na lled y tafod sy'n llefaru'r gair,
mae'r llun yn fwy na'r lliw,
y môr yn ddyfnach nag yw'r llinyn byr
mae'r alaw yn felysach na'r llais.
Dafydd Rowlands

820   Y mae stafell na elli
       yn rhwydd iawn mo'i chyrraedd hi.
       Mererid Hopwood

821   Yn aml, mi gaf y teimlad yn 'y mêr
          fy mod yn rhyw ddirnad
        y Dilafar yn siarad
         â grymuster tyner Tad.
       Donald Evans

10.3. Y Beibl

822   Mae'n hen, ond mae'n darllen dyn
       hyd ei fêr, dweud ei fai i'r blewyn …
       Gwynfor ab Ifor

am y Wladfa

823   Rhoi Beibl a llygru'r bobloedd, a'i foethau
          yn difetha'r miloedd …
         Rhoi inni'r wawr? Anwir oedd.
      R. Bryn Williams

bedydd

824   Daw'r Sacrament â'r plentyn – at ei Dad,
          dod i'w ŵydd heb ofyn,
         oherwydd pob diferyn
         yw y Gair ar dalcen gwyn.
      John Glyn Jones

cymundeb

825   Mae yno'n fisol yn gwirfoddoli
       ei bâr o ddwylo i barhau'r addoli,
       a throi i rannu fel gwnaeth ei rieni;
       ac yn y gwin mae'r groes yn goroesi
       a daw'r Un i'r ddau neu dri'n – gynhaliaeth,
       mae 'na wasanaeth mewn oes o weini.
      Geraint Roberts

826   Un hwyr fe gymerodd fara a gwin,
       corff a gwaed i'w goffa,
       cyfamod y ddefod dda.
      Pat Neill

ffyddloniaid

827
Fel angor i long mewn tymestl,
felly yw teyrngarwch y rhai ffyddlon
yn awr y difaterwch.

O'u plegid hwy
bydd eto sain gorfoledd yn y pyrth
a llonder yng nghartrefi'r tir

Eu ffydd a geidw'r llwybrau yn agored
fel na fydd ofer chwilio
pan gilio'r cysgod.
W. Rhys Nicholas

gweddi

828
Wrth bwy y llefaraf
pan blygaf lin
ufudd mewn defod –
ai wrthyf fy hun? ...

A'r benbleth dragwyddol –
sut un a all
ateb un weddi
a gwrthod y llall?
T. James Jones

Y Fendith

829
Wrth in' eistedd a gwledda, rho Dduw ddwy
        rodd hael i ni yma;
    dy lawnion fendithion da
    a mwynhau ein cwmnïa.
John Gwilym Jones

830
Lle mae casineb, cariad fo,
a lle mae cam, maddeuant rho;
yn lle amheuaeth dyro ffydd,
a gobaith lle mae calon brudd.
Raymond Williams

831
Nyddai'r ysgrifenyddion – y weddi
        Ar wŷdd ystrydebion
    Yn lle'i rhoi ar droell yr Iôn
    A'i gwau o giliau'r galon.
Idris Reynolds

832   *(Gweddi Ganol Dydd mewn mynachlog)*
Ond unwaith y daw pawb i'w le'n y côr,
a phob un benwisg ddu'n gorchuddio'u gwalltiau,
un corff sydd yno, un orchwyl, un weddi.
Dafydd John Pritchard

833   Un weddi sy'n aros i bawb, mynd yn fud at y mud.
Saunders Lewis

Iesu Grist

834   Ein byd ni roes ond beudy ...
      o'n byd aeth, heb neb o'i du
      eto'n dlotyn dilety.
Ieuan Wyn

835   Ond rhoed natur dyn iti
a daeth dirnadaeth i ni.
Alan Llwyd

836   Mae gen i
Flodyn o Galilea
Deilen o Gethsemane
A channwyll o Galfaria ...

A rywsut, mae'r rhain
Yn dŵad ag Ynta yn nes ata i.
Nesta Wyn Jones

Mair

837   Am wragedd ni all neb wybod. Y mae rhai,
Fel hon, y mae eu poen yn fedd clo ...
... Pwy – a oes neb –
A dreigla'r maen oddi ar y bedd dro? ...

... 'A dywedodd Ef wrthi, Mair,
Hithau a droes a dywedodd wrtho, Rabboni'.
Saunders Lewis

838   I'w Duw o'i gŵydd pryd a gwedd a roes hon,
      rhoes waed i Dangnefedd,
     rhoi anadl i'r Gwirionedd
    a rhoi bod i wacter bedd.
Gerallt Lloyd Owen

Sul

839   Heddiw cof yw dydd cyfan
O ddyn a'i Dduw'n ddiwahân.
Idris Reynolds

Trindod

840 Gogoniant i'r Drindod fendigaid,
tragwyddol gymdeithas ein Duw,
y sanctaidd na welir â llygaid,
y cariad achubol a byw;
ymuned pob un mewn mawl yn gytûn
i'r Drindod sy'n Undod o'i hanfod ei hun.
Gwilym R. Tilsley

pechod

841 Ond os darfu'i bechu bach
Ymhle mae ei hwyl mwyach?
Dic Jones

Plygain

842 Awn i'r Ŵyl
garolau'n ddiddeall
i ddyheu, a'r weddi'n ddall,
er mor hwyr, am wawr arall.
Bro Lleu

843 Noson oer a'r gloch yn cymell,
canhwyllau'n goglais yr hen garolau,
yn naturioldeb y datganiadau.
'Mae 'na awyrgylch o dan y sgrin ym Mhennant,
a lwmp yn dod i 'ngwddw wrth ganu
carolau Plygain Taid ...'

Canhwyllau mewn jariau
yn goleuo'r llwybr ym Mhennant heno,
yn gwrthod diffodd.
Aled Lewis Evans

rhagluniaeth

844 Mor anodd ydyw deall
Rhagluniaeth ddoeth fy Nuw
Yn arbed pren yn crino
A thorri'r blodyn byw.
Dienw

Y Diafol

845 Diawlineb yw'n hadloniant.
Dic Jones

846 *(llun Cyrnow Vosper)*
Mae ei wgu dychmygol yn niwyg
    Siân Owen yn oesol;
  ond y sawl sy'n gweld y siôl,
  onid ef yw'r diafol?
Ffair Rhos

Y Pasg

847 Trof allwedd at ryfeddod – un ogof
    a'i hagor mewn adnod,
  a beunydd cael trwy'r bennod
  faen a bedd ynof yn bod.
Geraint Roberts

Yng Nghapel Mair

848 Ac yno'r dychryn llwyr
wrth ymdeimlo â'r amherffeithrwydd ynof i;
yr hyn a elwid gynt, gan bawb, yn bechod:
a hyn fydd imi'n gwmni oriau nos.
Dafydd John Pritchard

Yr Ysbryd Glân

849 Doed awel gref i'r dyffryn
lle 'rŷm fel esgyrn gwyw
yn disgwyl am yr egni
i'n codi o farw i fyw ...
John Roberts

10.4. Capel

850 Mae mwy o enwau ar y maen
y tu cefn i'r pulpud
nag sydd bellach ar lyfrau'r capel.
John Roderick Rees

851 Mae'r capel 'ma'n mynd yn fwy bob Sul
gan fod y lle mor wag.
Aled Lewis Evans

852 Y dyddiau yma,
os am gynulleidfa mewn capeli
yna 'does dim amdani
ond cynnal angladd.
Gwyn Thomas

cau'r capel

853   Er gwaetha'i oed, nid oedodd cyn ei gloi,
        ond cau'n glep. Pesychodd;
    aeth ar ei hynt, ac ni throdd,
    am mai Duw ymadawodd.
Emyr Lewis

diwygiad

854   O le i le mynd drwy'r wlad i'n hachub
        rhag pechod fu'r bwriad ...
Crannog

emyn

855   Geiriau dyn a gâr ei Dad – na allwn
        yn hollol eu dirnad
    heb ryw afael ar brofiad
    o'r Duw nef a'i ordinhad.
John Glyn Jones

gweinidog

856   Bedyddio y babi
    wedyn caiff wadd i'th briodi
    a chaiff wadd i d'angladd di.
Machraeth

857   Gŵr y ffydd ddihysbydd wyt
    a'n gweinidog ni ydwyt.
Alan Llwyd

oedfa

858   Mae llai yng nghyrddau Seion – o'r hanner,
        er hynny, yn gyson ...
    daw Efe i'r oedfaon.
Crannog

859   Yn ei ddwst a'i wedduster
    Tawai'r cloc a swatiai'r clêr
    Yn sych-Saboth swch-syber.
Dic Jones

pulpud

860   Mae'r pren mor gadarn arno – ag erioed,
        a'r grefft aeth i'w lunio,
    ond wir, O Arglwydd, dyro,
    hoelion wyth i'w lenwi o.
John Glyn Jones

cythraul y canu

861   Adyn balch am fod yn ben ...
       try ei swydd yn fater sen
       a sain cân yn sŵn cynnen.
    John Lloyd Jones

10.5. Eglwys

862   A'u hen ddrysau o dderw oesol
wedi eu cau'n dynn yn ein herbyn ni,
gwaharddiad yn fwy na gwahoddiad.
Alan Llwyd

863   *(Eglwys Hywyn Sant, Aberdaron)*
Cyfarfod â Duw
fel petai 'na stafell
yn llawn o bererinion,
yn eirias eu ffydd
am fentro'r fordaith dros y Swnt
at y perl ar y gorwel
Enlli.
Aled Lewis Evans

Eglwys y Mwnt

864   Diysgog gartref crefydd, – hen le'r mawl
       Uwchlaw'r môr a'i stormydd;
       Sêl y saint i'w seiliau sydd,
       Grym y Gair yw'r magwyrydd.
    T. Llew Jones

865   *(Cwm yr Eglwys, Sir Benfro)*
Na phlygain, ond plygain y llanw,
       Na gosber, ond gosber y trai;
Na Chredo, ond credo'r beddau,
       Na chyffes a eddyf un bai ...
Aneurin Jenkins-Jones

ffenestri lliw

866   Os addurnwaith sydd arni ...
Gwaed yr Oen yw ei gwydr hi
a chreulon ei chwareli.
Alan Llwyd

gosber

867 *(gwasanaeth gweddi mewn mynachlog)*
Ac fel pob dydd mae'r Salmau'n eco i gyd
yn bownsio o'r naill ochr am yn ail
nes darfod yn dawelwch mawr o hyd;
tawelwch ddylai ysgwyd byd i'w sail.
A minnau'r sinig, sydd ym mêr pob bardd,
yn canu fy Amen: mae hyn yn hardd.
Dafydd John Pritchard

offeren

868 ... Ac mae'r allor, lachar, wag,

sydd rhyngom ni a nhw, fel ni, yn aros
am y wyrth sy'n peri rywsut – dyna'r gred –
i gytseiniaid a llafariaid yng ngenau offeiriad
droi'n gân gorfoledd, ac yn glychau'n canu.
Dafydd John Pritchard

11. Byd natur

cwbwl an-naturiol

869 Bwyta, neu gael ein bwyta:
Dyna fel y mae hi yn yr hen fyd yma.

Y mae 'na safnau rheibus o hyd yn agos atom
A chrafangau llym, anafus yn y nos.

Felly, fe ddywedwn i,
Fod bod yn wir Gristnogol
Yn gyfan-gwbwl an-naturiol.
Gwyn Thomas

11.1. Creaduriaid

alarch

870 Un â diwyg fel duwies
yw'r swp o wyn ar siâp S.
Einion Evans

asyn

871 *(a gariodd Iesu Grist i Gaersalem)*
I bob asyn daw un daith i'w chamu
          yn chwim gydag afiaith ...
     Ro'n innau'n frenin unwaith.
Dylan Iorwerth

872 Yn y gwellt yr unig un
arhosodd oedd yr asyn.
Ond, â herwyr du Herod
yn eu dur at Iesu'n dod.
hwn o'i stâl ar droed ddi-stŵr
waredodd y Gwaredwr.
John Gwilym Jones

ci defaid

873 Dim ond chwiban trwy'i ddannedd
Is y Foel, mae'r llais a fedd
O hirbell yn cymell cam
Y cysgod dulas, coesgam ...

Yn nannedd y Carneddi
anian y gŵr sy'n ei gi.
Gwynfor ab Ifor

874 Ti yw'r ffrind cywir, tirion.
Idris Reynolds

cigfran

875 Mi welais Angau heddiw ar faen hir
yn mwytho'i hugan ddu, yn hogi'i phig
a throi ei llygaid llwgu dros y tir
gan bwyll,
wrth aros am ei chig ...
Myrddin ap Dafydd

cob

876 Cesig gosgeiddig eu gwedd
A heini feirch sidanwedd
Yn chware'r peder pedol
Yn arian byw bron i'w bol.
Dic Jones

coch y berllan

877 Y tewddyn bach wyt lachar, yn wychlym
wyt y machlud lliwgar.
Ithel Rowlands

côr y wawr

878 Trydar adar sychedig ...
felly garioci'r wig –
canu tafarn cyntefig ...
Meirion MacIntyre Huws

cornchwiglen

879   I'w seiren mae naws eira; – i'r gwernydd
               Rhag oerni y cilia ...
Vernon Jones

cornicyll

880   Awyrlu'r tymor hirlwm,
         Criwiau'r cyrch uwch caeau'r cwm.
Dic Jones

crëyr glas

881   Hen wyliwr godre'r geulan.
James Nicholas

882   Mae'n oedi fel gweddïwr yn wargam
               Ar hirgoes ddifwstwr ...
T. Llew Jones

883   Rhith ar untroed yn oedi.
Vernon Jones

cwcw

884   Dod â hoen y dadeni – wna'i deunod ...
             Pan ddychwel dros yr heli,
             Heulwen haf a'i dilyn hi.
T. Llew Jones

draenog

885   Ar dro cul, pa fwrdwr cas?
         Pancec lle gynt roedd pincas.
Tydfor

dringwr bach

886   Ei helfa'n iacháu'r golfen
         O'r pry yng ngheseiliau'r pren.
Vernon Jones

drudwy

887   Diau gwir y dwedid gynt –
         'Cenhadon drycin ydynt'.
T. Llew Jones

drudwy Branwen

888   O hyd deil cân y drudwy – yn waddol
               I'r gweddill safadwy,
             Y mae'n alwad i'r adwy
             Ynom oll; ein hiaith yw mwy.
Idris Reynolds

eryr

889 Gŵyr pob call na ddaw allan
eryr o frid o wy'r frân.
R. E. Jones

890 Mae eryr yr Amerig
yn dwyn y byd yn ei big.
Karen Owen

ewyn

891 Pan chwery chwa oddi uchod â'r môr
Mae hen angenfilod
Y dwfn i'r wyneb yn dod
I'w haileni'n wylanod.
T. Arfon Williams

glas y dorlan

892 Blymiwr â'i blu o emau,
edn glas ar adain glau.
Rhys Dafis

893 Tua'r hafn, fel llafn i'r llyn,
droi'n lliw dur yn lle deryn.
Idwal Lloyd

gleisiad

894 Ni chei breis am ddal gleisiad,
camp ddihafal dal ei dad.
Alun Jones

gwenoliaid

895 Gwichiodd *swallows* sir Aberteifi
uwch fy mhen,
eu hadenydd fel corcsgriw
yn agor gwin.
Gwyneth Lewis

896 Heidio maent fel nodau mud a swatio'n
grosietau disymud ...
T. Arfon Williams

897 Heno, mae'r gwenoliaid
yn cael eu taflu fel crymanau.
Einir Jones

898 Miri'r cywion uwch y môr a'r caeau
a glas y don yn fforch eu cynffonnau
yn wyn eu byd, a'u byd yn wibiadau ...
Myrddin ap Dafydd

899   Nid trwy deddf ond yn reddfol – o ufudd
        i'w *Sat-Nav* tymhorol
     ar ei hunion daw'r wennol
     i'r un nyth adre yn ôl.
John Glyn Jones

gwybedog brith

900   Y gleidiwr a'i big ludiog – aer y berth
        Acrobat asgellog ...
Vernon Jones

gwylan (yn llatai)

901   Dos, wylan annwyl heno,
   Gwna i'r sêr dros Aber wibio,
   Gwna i bâr o adar heidio
   I'r lle hwn ...

   Awn i'r oed yn nhre'r cariadon,
   Awn i ddweud ein haddewidion,
   Awn i goleg yn y galon.
   Ger y lli.
Eurig Salisbury

gylfinir

902   Ac os aeth cri'r gylfinir
   yn un â'r distawrwydd mawr,
   mi wn y daw rhywun i gadw
   yr oed cyn toriad y wawr.
Dafydd Iwan

903   Ond gylfinir yn nhir neb,
   llais rhyw hen, hen warineb.
Gerallt Lloyd Owen

hedydd

904   Mae'i enw ar lethrau'r mynydd, a'i gri
        yn y graig a'r gweunydd ...
Howgets

hwch

905   Er na ellir un hyllach
   Hwch nid hyll i berchyll bach.
T. Arfon Williams

906   Ni chwyna hwch yn yr haidd.
Gerallt Lloyd Owen

907 Rhowch lipstic coch ar fochyn
ond hwch yw hwch, er gwneud hyn.
Anwen Pierce

llo

908 Yr ych a dry trwy'r gwrych drain,
y lloi eraill a arwain.
Dic Jones

malwoden

909 Ond beth yw malwen
ond tafod ar daith mewn carafán?
Gwyneth Lewis

mwnci

910 Rhyngom roedd barrau'r ango'...
    ond wedyn, er dy wawdio,
    un yw ein cyrff er cyn co'.
D. Gwyn Evans

mwyalchen

911 Dyma gerddor rhagorach
Na Johann Sebastian Bach.
T. Llew Jones

nyth

912 Ni fu saer na'i fesuriad yn rhoi graen
    ar ei grefft a'i drwsiad ...
Roger Jones

913 Daeth, dan fy nhrwyn, o'r llwyni
i osod nyth yn ein sied ni
yn bensaer craff, dibensil,
a droes, rhwng sandar a dril,
nythfa'n drigfan gerigfawr ...
heb warant i gael bwrw
rhwng muriau, ei hwyau hi
i gynnal gwyrth y geni.
Aneirin Karadog

nyth cacwn

914 Ffwrnais o bryfed ffyrnig, lle i eni,
    llu annwn dieflig.
    Dyma dŷ i deulu dig,
    tŷ y gad felltigedig.
D. A. Pritchard

octopws

915 Ceffalopod molwsg meddal
fel wy heb blisg, yn frith o freichiau neu goesau
mae hwn fel ymennydd mawr wedi'i dorri
o ben dynoliaeth a'i heglu i lwybrau dŵr.
Gwyn Thomas

parot

916 Tydi a gafodd dafod dyn
a'i ddof regfeydd
a chof fel nodwydd gramaffôn.
Gwilym R. Jones

pry'r gannwyll

917 At gannwyll hawdd ei dwyllo,
O'i chwil wib ni ddychwel o.
T. Llew Jones

pysgod

918 Yr oedd y pysgod
yn y dŵr
fel tân gwyllt.
Einir Jones

sardîn

919 Di-flew mewn olew melyn ...
yn wasgedig bysgodyn.
Aberystwyth

sgrech y coed

920 A hedeg fel bollt drydan
'nôl i'r dail â'i blu ar dân.
Dic Goodman

sigl-ei-gwt

921 Hwsmon cyson ei ffonnod ar y gyr
a'i gorff yn llawn cryndod.
Dafydd Williams

tinwen y garn

922 O Ghana tua'r gweunydd – o wres swnd
Heda'r swil gynllunydd ...
Vernon Jones

twrch daear

923   Ei deyrnas yw ei basej, – gwnaed ei wisg
Yn dynn fel croen sosej ...
Ceibiwr y rhychau cabej.
Dic Jones

tylluan

924   Ei sgrech oer fel merch loerig.
Vernon Jones

925   Hofran o fur rhyw hen fwth
Y llygotreg llygatrwth.
Dic Jones

ystlum

926   Gwibia'n ysol o Annwn i'n chwennych,
       chwa enaid y meirw ...
Aberhafren

11.2. Planhigion

blagur

927   Mae'r henddail marw ynddynt yn deilio'n
       ymgnawdoliad drwyddynt;
     erioed pob dechrau ydynt,
     eleni pob geni gynt.
Gerallt Lloyd Owen

castanwydden

928   Lluniaidd yw lliw ei hwyneb, a'i hallor
       ganhwyllau'n dlysineb ...
Penllyn

cennin Pedr

929   Dacw hi'r gatrawd cariad â'i hutgyrn
       yn datgan yn llygad
      y Diawl ei hun fod i wlad
      ac i fyd atgyfodiad.
T. Arfon Williams

930   Mae haul rhwng plygion melyn
a haenau'r petalau tyn,
a sawr cain yn cosi'r cof,
hen wanwyn yn frath ynof;
Annes Glynn

clychau'r gog

931 Dan gangau'r pren mae pennill; – hen odlau
  sy'n adlais o weddill
 oes wâr, a phersawr pob sill
 yn sibrwd: 'Mae'n fis Ebrill!'.
Annes Glynn

932 Ym Mai eu creu y deuant ...
  troi Mai yn hud trwm a wnânt
 ond ym Mai cyd-ymwywant.
Alan Llwyd

coed

933 Beth yw'r goedwig ond brigyn? ...
  A'r byd i gyd? Llygedyn
 o olau Duw ym meddwl dyn.
Mererid Hopwood

934 Hirfaith elltydd diborfa – yw'r coed pin
 Lle bu y werin yn ennill bara.
D. Gwyn Evans

935 Mae'r coed yn marw ym Margam,
 mae'r coed yn y Gilfach yn glaf.
Rhydwen Williams

936 Ond daeth dydd y coedydd cau – ar oledd
 A diwedd mawredd bro Rhydcymerau.
D. Gwyn Evans

937 Roedd yna goed a'u cylchoedd cof
 yn gerddi nad a'n angof.
Sian Northey

criafol

938 Dagrau tân yn y manwydd,
 Dafnau gwaed o fewn y gwŷdd.
Derwyn Jones

chwyn

939 Ni ddaw chwaith lle na ddaw chwyn
 Unrhyw raen ar ei ronyn.
Dic Jones

940 Rhyw ddau i ddechrau a ddaeth ...
  erbyn hyn y rhain a aeth
  i hawlio'n daear helaeth.
Dai Rees Davies

derwen

941 Ym mis Ionawr mae'n gawres – yn herio'r
       Ddrycin hir â rhodres;
    Yn y gwanwyn mae'n gynnes
    A gwên mam yn geni mes.
Gerallt Lloyd Owen

eirlysiau

942 Daw'r rhain 'run mor daer o hyd – i wylio
       dros yr hewlydd rhewllyd,
    bob blwyddyn yr un ffunud
    yn eu lifrai gwynna' i gyd.
Geraint Roberts

943 O ddüwch hen y ddaear
    yn glystyrau glân
daethoch gydag angerdd
    grym tafodau tân.
Idris Reynolds

944 Pistyll gwyn
yn diferu yn fud
i lawr y clawdd.
Ac ewyn ei eira
yn nodio'n dawel.
Einir Jones

gwawn

945 Pe gallwn ddal yr hadau gwawn
a chwythais mor ddifeddwl
hyd erwau ddoe, eu casglu wnawn
gan gofio byd digwmwl ...

    ... Bu storio a'u pentyrru
hel amser prin wrth gefn,
am fod eiliadau'n gwibio'n gynt
a'r gwawn o'm cyrraedd ar y gwynt.
Annes Glynn

946 Wyt wawn. Wyt wenau. Wyt wanwyn tyner.
Robin Llwyd ab Owain

gwymon

947 Wele ar wegil yr eigion, lwythi
       o lywethau hirion ...
Bro Dysynni

hydrangeas

948 Y pinc gor-binc, y glas calchaidd o las
sy'n crafu'r prynhawn fel sialc ar fwrdd du llynedd ...

Y dotio wedyn at y ffordd y mae
pob blodyn yn flodyn llai, seren sy'n nythu
o fewn sêr mwy, yn fydoedd perffaith, crwn,
y dwlu ar eu harddwch wrth edwino,
ar enfys syber y brown, y llwyd, y melyn,
gogoniant eu tri lliw ar ddeg.
Elin ap Hywel

iorwg

949 Twf ir ei ddifaterwch, – yn breuhau'r
          Hen bren â'i eiddilwch ...
      Gan dagu'n ei degwch.
Dic Jones

llygad y dydd

950 Y mân dwf sy'n mynnu dod ...
          hyd y lawnt, a'i dawel ôd
          yn ias undydd o syndod.
Bro Ddyfi

pabi

951 Helmedau dan haul Medi
          â bidog dan bob un,
      neu ffrwydrad coch bwledi
          yng nghanol wyneb dyn.
      Y mae eu sgrech ymysg yr ŷd
      yn glwyf o waedd, yn hyglyw fud.
Alan Llwyd

11.3. Tywydd

ceiliog y gwynt

952 Ar heol fawr y trowynt
Wele sgwâr polis y gwynt.
T. Llew Jones

eira

953 A dwst gwyn yn distaw gau –
Distawrwydd dwys, dieiriau.
Ieuan Wyn

954 Dim ond ffŵl sy'n gofyn
'Pam fod eira'n wyn?'
Dafydd Iwan

955
Eira'r dydd, gwehydd o'i go
yn weigoll wyn, yn wallgo
yn nyddu o ddim garthen ddwys
ddiorffen yn ddiorffwys ...
Emyr Lewis

956
Ni bu eira a barodd
na heth hir erioed na thodd.
Mathonwy Hughes

957
O'i stŵr berw, mor ddistaw'r byd! – a'i lonydd
　　Gerfluniau dros ennyd ...
　　Iasoer gynfas, awr gwynfyd.
Tydfor

dyn eira

958
Dim ond hen het a chetyn – yn gorwedd
　　yn y gwair, a phlentyn
　　yn clirio'r llanast claerwyn
　　enbyd o oer lle bu dyn.
Gruffudd Owen

glaw

959
Glaw fel tawelwch
sy'n llenwi llynnoedd dyfnion
yn y mynyddoedd
hyd at eu hymylon.
Elan Grug Muse

960
Glaw, glaw, a'r dail yn gloywi, o'i guddfa
daw'r gwyddfid i'r perthi,
a daw'r rhosyn i'r drysi.
Derwyn Jones

961
Mewn dyddiau mwy na diddim
o dywydd hesb da i ddim
... daeth anadl bach,
esgus o awel ysgafn;
yna dim; yna un dafn,
cyn diwel digyffelyb.

a daeth y glaw'n fendith gwlyb.
Emyr Lewis

962
Pan fydd glaw yn yr awel
ar gloddiau mae oglau mêl.
Myrddin ap Dafydd

cawod

963   Ei dagrau hael hyd y gro a esgor
        ar rwysg yr adfywio ...
Caernarfon

gwlith

964   Ar graith ein daear neithiwr rhoes y nef
        dros nos yn ddigynnwrf
      o'i chalon fendithion dŵr
      i'w naws-socian â'i swcwr.
Donald Evans

gwynt

965   Daw heb barch at enaid byw
   Drwy'r cread, am nad ydyw'n
   Malio dim am hwyliau dyn
   Na'i reol, mwy na'r ewyn.
Huw Meirion Edwards

966   Hen orawen y rhewynt ...
        mae eirth yng nghôl y Mawrthwynt
      deifiol, oer, Diafol o wynt.
Deiniol Jones

967   Hwn a'i fwyell fu'n y gelli, – mae ôl
        Ei ymweliad drwyddi;
     Hwn ddoe a'i sisyrnodd hi
     Hwn dorrodd wallt ei deri.
Arwyn Evans

968   Mae pob hen wae, pob hen rialtwch gynt
   Ar gof a chadw ar recordiau'r gwynt.
T. Llew Jones

969   Na, ni allodd dyn drechu'r gwynt,
   dyn a drechodd ef ei hun.
Mererid Puw Davies

970   Pan fo'r gwynt yn ddu
   yr haul ynghudd
   yn seleri'r llyn
   caf hyd i'r peth a gollwyd ...
Euros Bowen

971   Traws gwlad yn sgil ei bladur ...
        ni weli di ei lafn dur
      na'r dwylo fu'n creu'r dolur.
Gwilym Rhys Jones

972   Trengi a geni'n un gwynt
ydyw awel deheuwynt.
Dic Jones

gwynt y dwyrain

973   Draw heno mae'r dwyreinwynt
Fel hen wrach aflan ar hynt ...
Oer ei gri ym mrigau'r ynn
A'i floedd uwch beddau'r flwyddyn.
T. Llew Jones

974   Gwynt y dwyrain – yn poeri heno
a'i ddagrau'n rhagrith meddal
yn angladd y pethau byw.

Gwynt y dwyrain – daw gosteg fory
a'r storm yn suddo
yn waed yn y gorllewin.
Elin ap Hywel

975   Rhaid cau y drysau heno'n dynn,
mae gwynt y dwyrain ar y bryn.
W. Rhys Nicholas

haul

976   Dychmyga: pe bai'r haul yn belen dân
O faint pêl-droed, ni fyddai'r ddaear hon
Fawr mwy na gronyn bach o dywod mân,
Ewin dy fys wrth olwyn tractor gron ...
Eurig Salisbury

llwydrew

977   Lifrai ei risial hyfryd – yn rhoi lliw
        ar dir llwm y gweryd ...
Tregarth

meirioli

978   Daeth awr ailactio'r stori hyna' 'rioed:
        Haenau'r rhew'n meirioli,
      A thlws wyrth a welais i, –
      Glaw mân yn treiglo meini.
T. Llew Jones

mellten

979   Er cryfed, praffed y pren
Fe'i holltir gan y fellten.
T. Arfon Williams

niwl

980   Daw'r mur llwyd o'r môr llydan gam wrth gam
drwy'r gwyll, ac ymrithia'n
eneidiau Manawydan
a'i lu oer yn dod i'r lan.
Emyr Lewis

981   Rhyngof ac ebargofiant
mae 'ond' y ffin amhendant,
wal gudd – mor gynnil â gwant.

Niwl mynydd yn gorchuddio'r
canllawiau, ninnau yno'n
ddi-lun, a rhowch floedd: 'Helo?...'

... nes try'r haul holl arswyd rheg
yn wal union – telyneg!
Awn i'r adwy dan redeg.
Annes Glynn

982   Un Rhagfyr daeth consuriwr – â'i law wen
ar lan afon Pibwr
yn rhoi'i ddwst oer mor ddi-stŵr
a'i len gain dros Langynnwr.
Geraint Roberts

12. Ein bywydau brau

12.1. Gwaith a Galwedigaethau

amaethwr

983   Gŵr yw heb geiniog ar ôl,
A'i 'greisus' yn gri oesol ...

Yr ieir yn mynnu'i bluo
A'r fuwch yn ei odro fo.
Gwynfor ab Ifor

984 Un sy'n bod i glywed sŵn y beudy'n
rhuthro dihuno fel haid o wenyn,
sŵn ŵyn y tymor yn goleuo'r glyn,
a'i erwau llwyd yn friallu wedyn,
y boi sy'n dod â bywyn rhyferthwy
haf i'r adwy gyda thwf yr hedyn.
Hywel Griffiths

aredig

985 Y gŵr a arddo'r gweryd
A heuo faes; gwyn ei fyd.
Geraint Bowen

arlywydd

986 Ai dal i hau dialedd – yw dy nod
Â hen hadau'r llynedd,
Hau'n rhwydd o sicrwydd dy sedd
Galennig o gelanedd?
Huw Meirion Edwards

artist

987 Artistiaid yw protestwyr
pob oes, rhag anfoes rhai gwŷr.
Y beirdd yw haneswyr byd
a chof pob llinach hefyd.
Alan Llwyd

bugail

988 Pan gipia'r gwynt dy chwibanau taer,
dim ond y cŵn all ddeall dy ramadeg
rhwng cromfachau'r mynyddoedd;

dim ond y nhw all gynnig clust
mewn corlannau uchel, a chlywed
cawod law dy lais ...

Pan gipia'r gwynt dy chwibanau taer,
mae pawennau'n gadael rhai brawddegau blêr
ar femrwn oer a gwlyb dy fynydd di.
Dafydd John Pritchard

cau pwll

989
Beth ddwed y clychau heddi?
Oes rhai yn canu, dwed?
Tawelodd rheiny hefyd,
gwacaodd seti cred.

Ac nid yw Dai yn poeni
bellach bod rhaid i'w grwt
weld Uffern o dan ddaear,
mae'n Uffern ar y clwt ...

Ond diawl, mae'r pwll 'di glasu,
yr afon eto'n lân,
a rhai yn dechrau siarad
am newid, fel o'r bla'n.
Hywel Griffiths

codi clawdd

990
I ffinio maes, rheffyn main
o gerrig, gwaith gŵr â llaw gywrain.
Alun Jones

colier

991
Nydder y mawl a haeddo
i arwr glew erwau'r glo.
Gwilym R. Tilsley

992
Pa hawl sydd gennyf heb ddim creithiau glas ...
Mae'n ddigon hawdd o bell rhamantu'r ffas ...
Ni wn am wae y nwyon yn crynhoi,
   Nid yw fy mrest gan lwch y glo yn dynn,
Ni chlywais i erioed y to yn rhoi,
   Ni chludais gyrff i'r fynwent ar y bryn.
A gwn nad awn o dan y llethr du
   I wneud fy nhwrn pe telid ffortiwn im ....
Idris Reynolds

cyfieithu

993
A gwe'r garthen mor denau, erbyn hyn,
      rhy hawdd llacio'r pwythau ...
Dafydd John Pritchard

cynghorydd

994
Un llawn o dwyll, llai na dyn
dinesydd â dawn asyn.
Einion Evans

chwarel

995
Gweld llechen ei thomenni
yw 'nabod ei hanfod hi,
wyneb oer â chreithiau byw,
un wydn mewn storm ydyw;
er ei gwg, mae hanner gwên
awyrgylch taro bargen.
Annes Glynn

996
Ond gwythïen hen o hyd
sy'n drom lle buom yn byw –
gwrthodiad o graith ydyw,
a dagrau gwaed y graig werdd
yn dannod i mi'n dyner
ddoe'n ôl, am na cherddwn ni
ei helltydd, wedi'r hollti.
Llŷr Gwyn Lewis

chwarelwr

997
A phan fo hi'n glawio ystyriwch chwarelwr
A gollodd ei fywyd heb reswm yr un,
A chofiwch Fethesda, Dinorwig a Nantlla,
Y llwch ar ysgyfaint a'r gwaed ar y cŷn.
Gwynfor ab Ifor

998
Herio angau wna'r dringwr – ar y graig –
rhoi'i hun yn goncwerwr
y dibyn. Dilyn heb stŵr
ei alwad wnâi'r chwarelwr.
John Glyn Jones

diwydiant

999
Amaeth y tir a'n clymai – yn genedl;
dur gwynias a'n hunai;
y glo eirias a'n hasiai,
glo'n tir yn goleuo'n tai.
Alan Llwyd

gohebydd

1000
Mae'r hen wàg ble bynnag bo
yn rhy barod â'r beiro.
Tecwyn Jones

gwaith

1001 Aeth ein hoes yn wrthnysig, mynnu tâl
        am wneud dim bob cynnig!
     Streicio amal a dal dig;
     dyna y 'clwy' Prydeinig'.
T. Llew Jones

meddyg

1002 Ddiddanydd â'th gelwydd gwyn
    Diolch i ti am dewyn
    O obaith, ond rwy'n gwybod
    Yn fy mynwes be sy'n bod.
Dic Jones

1003 Gorau meddyg yw'r meddwl.
Gerallt Lloyd Owen

melin

1004 Rhown it wenith lledrithiol y meysydd,
      Rhoi miwsig y lasddol;
     Fe rown it hafau rhiniol,
     A chawn ni y llwch yn ôl.
Gwynfor ab Ifor

1005 Er mai pren yw'r adenydd, dymuniad
      y meini, ar nawnddydd
     hir o haf, yw torri'n rhydd
     a rhodio efo'r hedydd.
Tony Bianchi

1006 Ofer yw hau pan fo'r hin
    Yn prysur falu'r felin.
Dic Jones

melinydd

1007 Ei bwn ysgwyddai beunydd ...
     yn wynnach na phlu'r gweunydd.
Vernon Jones

milwr

1008 Ac os tawel yw'r holl fagnelau,
    mae ei dolur yn y medalau.
Geraint Roberts

plismon

1009 Roedd ganddo drad fel bade
    A'i un cosb oedd cic yn ein tine.
Dic Jones

pwyllgor

1010   Areithio ffraeth i'w pharhad
        sy' orau mewn siop siarad.
        Bro Ddyfi

pyllau glo

1011   (Glofa'r Tŵr)
        Cymdeithas y ffas, a ffydd
        hen goliars yn ei gilydd.
        John Glyn Jones

1012   Oni chwyddai lwmp yng ngwddwg dyn
        wrth feddwl am byst yn torri ...
        ac ofnus gân y cwmni pell yr ochr draw i'r tân.
        Gilbert Ruddock

1013   Ynni glân nid pyllau glo,
        yn fynych sy'n difwyno.
        Nici Beech

senedd

1014   (Tad y Cynulliad)
        Dylifent i'r Blaid Lafur i gael llais
            a gwellhad rhag dolur
          llosgiadau ei weithiau dur
          a dwst ei lo didostur.
        Alan Llwyd

1015   Nid senedd nad senedd sydd
        Yn glyd fel gwenau gwleidydd ...
        Hywel Griffiths

1016   Tri gair fo'ch arwyddair:
        Hedd, Gwarineb a Gwirionedd.
        Dic Jones

siop

1017   A gwên ar gynnig yno
        i gwsmer cownter y co'.
        Idris Reynolds

1018   Pantri bwyd y pentre bach.
        O. M. Lloyd

12.2. Diddordebau

celfyddyd

1019   Diflas a bas yw ein byd
        oni feddwn gelfyddyd.
        Robin Llwyd ab Owain

1020 Fe haedda pob celfyddydwaith
Drylwyredd amynedd maith.
T. Llew Jones

1021 I bawb, mewn celfyddyd bur,
nid ar hast y daw'r ystyr.
Wyn Owens

1022 O boen daw campwaith i'n byd,
o aberth, nid o hawddfyd.
O. M. Lloyd

cerddoriaeth

1023 Dim ond un ffidlwr oedd
un o ffyliaid diniwed Duw
yn ymbalfalu
am y felodi aeth ar goll
amser maith yn ôl,
ac yn y tawelwch, yn araf, araf
dringodd yr edefyn o gerdd
ar risiau'r nodau ...
Elin ap Hywel

1024 Ni fedrai'r bardd tafodrydd
ddwyn sêr yr hwyr o ddawns rydd
dwylo hwn, na dal ei hud,
am i eiriau ymyrryd.
Llŷr Gwyn Lewis

jazz

1025 Drwy'r nodau daw rhwymau'n rhydd:
dynion yn cael adenydd.
Emyr Lewis

1026 Mae'r felan sy'n ei biano
yn ddagrau hardd i'w gur o,
yn haul hwyr, y nodau glaw
yn niwloedd hyd yr alaw;
ar stôl ei felancolia
mae'n ildio'n llwyr hwyr o ha'.
Dafydd John Pritchard

côr

1027   A phan glywa' i 'Teilwng yw'r' Oen'
yn tyfu, yn dyrchafu, yn dygyfor
drwy'r côr, drwy'r meibion,
mi wn mai Duw da a wnaeth ddynion.
Gwyn Thomas

creiriau

1028   Ceidw yn gyndyn ers cyn co'
ei chyfrinach fawr yno.
Emrys Edwards

1029   Ias hen hil sy'n ei holion,
hud hen fyd dan fwa hon.
Gerallt Lloyd Owen

criced

1030   Mae seiat rhwng bat a'r bêl
am yr haf yn ymrafel,
a dau ar lain yn dawel.
Geraint Roberts

chwarae

1031   Chwarae'n dynn tan derfyn dydd
yn galed dros ein gilydd.
Idris Reynolds

1032   'Dwi wir, wir, wir angen cawod,
a wnaiff y swper ddim coginio ei hun,
ond wrth edrych ar dy lygaid bach gleision
mi wn y byddi, fory, yn hŷn.

Felly yndw, mi ydw i isio chwarae ...
i 'rafu hen fysedd y cloc.
Casia Wiliam

llenyddiaeth

1033   A ydyw llên yn dwyll o hyd? Ai gau
yw'r gân yn dy fywyd?
Tudur Dylan Jones

llyfr

1034   Egyr ddôr pob gwyddor gaeth – i olud
byd gwybodaeth ...
Dafydd Wyn Jones

stori

1035   Agoraf lyfr, a gweld dros grib tudalen
ddau lygad bach yn dweud eu disgwyl mawr,
ar bigau i brofi eto gynnwrf ffuglen
yr un hen hanes, am ryw chwarter awr …
Llion Pryderi Roberts

1036   Yfory, rhof i wyres
Ystyr ddoe, stori dda ei hanes.
Tudur Dylan Jones

telyn

1037   Â dwy law'n creu'i halawon,
dawn dweud ydyw nodau hon.
Tudur Dylan Jones

tonic Sol-ffa

1038   Dod â gwae wna'r du a gwyn
heb un hyder, bob nodyn,
lle profaf ing y dringo
drwy Suliau du'r *soh-lah-doh.*
Geraint Roberts

12.3. Eisteddfod

1039   (2017)
Os oes baw a glaw ar gledd – os oes mwd
     dros y Maes yn gorwedd,
   os oes cors yn lle gorsedd,
    y mae o hyd waedd am Hedd.
Emyr Lewis

Bae Caerdydd

1040   Clywn heniaith lle bu ieithoedd,
a haf â'i liw bob un floedd;
harn a glo heddiw'r corn gwlad
yn rhuo'r ailddechreuad,
a thrwy'r alaw y daw dydd
hen awel a'r wawr newydd.
Geraint Roberts

cadeirio

1041   O dan y cledd eisteddwn
yn nodded a hedd y pafiliwn.
John Glyn Jones

derwyddon

1042 Yr haul, y gwynt a'r heli – addolent
    ag arddeliad gweddi;
      ym Môn mae tynfa'r meini'n
      rym sy'n hŷn na'i hemyn hi.
Annes Glynn

yr Eisteddfod Ryng-golegol

1043 Ei thras yw syrcas a sŵn,
awyrgylch iawn i gorgwn.
Geraint Eckley

y Gadair Ddu

1044 Er ei chweirio a'i chwyro'n newydd lân,
    ni ddiléir yr olion
      gwaed ar hyd y gadair hon,
      Gadair pob Armagedon.
Alan Llwyd

Gorsedd

1045 Mynachod eisteddfodol, yn arddel
rhyw urddas dychmygol:
dilynwyr truth chwedlonol.
Siôn Aled

1046 Trilliw fflyd o hyd mewn hedd,
od iawn ŷnt o dan haul tangnefedd.
T. James Jones

12.4. Bric a brac bywyd

ap

1047 Y gŵr a gâr seguryd
A ganfu ap, gwyn ei fyd.
Eurig Salisbury

1048 Mae pob ap fel parti
ar fy nheclyn bach hud.
Ond beth yw'r pwynt cael parti
heb ffrindiau yn y byd.
Anni Llŷn

bwgan brain

1049 Ni wêl â'i lygaid milain – un copi,
    ond mae'r cipar hirfain
      mud a byddar yn arwain
      yn yr ŷd gorws o frain.
John Glyn Jones

cwrwgl

1050 Bu hir gyniwair dros y bont yng Nghenarth,
A darfu rhyfyg llawer treisiwr hy;
Ond gwelir eto'r gŵr sy' biau'r afon,
Yn trin celfyddyd hen y cwrwgl du.
T. Llew Jones

chwarae Duw

1051 Torrwyd côd y gwybod gwell,
oeri byd, mynd yn rhy bell,
chwerwi'r dydd a wna'r chwarae Duw
i gyw a'i angau'n gawell.
Aneirin Karadog

chwedl

1052 O'r dwfn y ceir ei defnydd...
a rhyw Wydion aflonydd
yn ei dweud nes sobri'r dydd.
Glannau Llyfni

gardd

1053 A'r hen ardd roes Iôr i ni
Yn rhodd sy'n llawn budreddi!
Olew a mwg – tail y 'moch'
A rydd fawl rhwydd i Foloch.
Hen ardd ddi-staen roddaist Ti ...
Ond Dyn ei hun aeth a'i nodd
Difwyno'i stad a fynnodd ...
A lluddias irlas arlwy
Egin haf, â'i fwg a'i nwy.
T. Llew Jones

1054 Lle bu gardd, lle bu harddwch,
Gwelaf lain â'i drain yn drwch ...
B. T. Hopkins

Gardd Fotaneg Genedlaethol

1055 Mae coedwig o blanhigion
yno'n drefn o dan wydr hon ...
ac ecoleg sawl pegwn
a'i acer werdd dan do crwn.
Geraint Roberts

geiriadur

1056 Drws i eiriol drysorau agor hwn,
    daw'r gair iawn i tithau;
   hirion hynafol eiriau,
   a newydd iawn – un neu ddau!
Derwyn Jones

1057 Ei eirau'n ddigyfaredd,
arhosant yn rhesi diddiwedd.
Llansannan

1058 Mae geiriadur yn gwiweru'r geiriau
a roir i'w ofal mewn hir aeafau.
T. James Jones

gwellaif

1059 Heb ddafad i'w noethi
fe yrr rhwd y difrodi
fin ei waith i'w deulafn hi.
Tecwyn Jones

gwesty

1060 Un â steil, ond heb naws tŷ
nac aelwyd, dim ond gwely.
Dinbych

gŵr bonheddig

1061 Un â gwên i bob menyw,
io-io o ddyn ar sedd yw.
Dinbych

gwyddoniaeth

1062 Gwyddoniaeth ydi:
hudoliaeth
sydd yn gweithio.
Gwyn Thomas

iPhone

1063 Mae gair a llais yma gerllaw'n ddi-oed
    yn ddesg ar ddeheulaw,
   yn estyn ffeiliau'n ddistaw.
Geraint Roberts

1064 Mae pennau pawb yn isel
yn gweld y byd drwy'r sgrin,
a'r llun sydd ar y gorwel
yw llun o bawb ar ben ei hun.
Aneirin Karadog

jacwsi

1065 Bybls o ddirgel bibell yn llifo
  i'r llefydd anghysbell.
  Dafydd Emrys Williams

jw jitsw

1066 *(Profiad yn dilyn cicio tywod i wyneb Siapanead bach eiddil ei olwg)*
  Cyfododd Iwng Tjw Ien
  A chwipio tro i fraich Len
  A'i taflodd cryn bump o lathenni
  Fe'i jw-jitsiwyd fel na jw-jitsiasid fawr undyn
  Na chyn hynny na chwedyn.
  Gwyn Thomas

llawdriniaeth

1067 Un ar y ford yn mentro'i fyw, yn llwyr
  yn llaw'r llall rhwng deufyw.
  John Gwilym Jones

lluniau

1068 Ei deulu ar bob dalen, a'i linach
  wedi'i glynu'n gymen,
  ac yna, lliw hen gynnen
  a wêl rhai tu ôl i'r wên.
  Geraint Roberts

llygaid cath

1069 Ar ei hyd dilynwn rhain,
  Daearol sêr y dwyrain.
  Idris Reynolds

Marathon

1070 Dy ludded fydd dy fedal...
  Dy hun yn erbyn y 'wal'
  Trio, a dod drwy'r treial.
  Dic Jones

microdon

1071 'Mae'n debyg i ffydd,' medd y ferch –
  'Mae'n ddi-sŵn,
  yn ddioglau,
  yn ddi-liw,
  ac eto, rhywsut, mae'n newid pethau.'
  Elin ap Hywel

mini sgert

1072 Mae'n dwt ond hynod gwta,
mae'n hwylus, mae yn *'highly* bethma'!
Machraeth

modrwy

1073 Hon o'm gwirfodd a roddaf
yn arwydd o'm cariad cywiraf.
Bro Ddyfi

mud a byddar

1074 A wêl yn ei heolydd ei bysedd ...
yn llaw fer ei lleferydd.
T. D. Roberts

1075 I ŵr dall, llygad yw'r deg,
i ŵr mud, ei ramadeg.
Griff Williams

myfyrwyr

1076 Bybl i bawb yw Aber,
neuadd fawr tair blynedd fer,
swigen aur lle swigiwn ni
o afael ein cartrefi,
a dim i'w wneud ond mwynhau
diodydd a nodiadau.
Eurig Salisbury

ôl awyren

1077 Yn uchel trwy'r awelon,
yna fe welaf olion
ei hanadl oer hyd y lôn

yn hyrddio tua'r wawrddydd,
un llinyn yn dilyn dydd
a nwyon bore newydd.
Geraint Roberts

olew

1078 Am olew, ffeiriwyd milwr:
nid yw ei waed namyn dŵr.
Myrddin ap Dafydd

1079 Mae arch yn nhir y gwarchae
Ac amdo du lle bu bae.

Mae bedd ger afon Cleddau
A'i fraw dros y ddaear frau.
Huw Meirion Edwards

1080   Y lôn hir lle gwelwn ni
gelanedd y galwyni.
Hywel Griffiths

opera sebon

1081   Onid nâd yw ei nodau,
a lol noeth sôn am lanhau?
Dafydd Wyn Jones

papur newydd

1082   Hanner gwir yw'r du a'r gwyn,
hanner gwir a'r geiriau fel menyn.
Manion o'r Mynydd

pedol

1083   Campwaith haearn, nawdd carnau a thalent
yw rhoi cylch hanner cau ...
yn wydnwch o dan wadnau.
John Lloyd Jones

peilon

1084   Y cawr glwth sy'n llyncu'r glyn
ddaw â'i olau i'w ddilyn.
Wrecsam

peiriant

1085   Pa rinwedd yw peiriannau'n
Llogi dyn a llwgu dau?
Dic Jones

pêl

1086   Mae yn hon y grym a wnaeth
wehilion yn frawdoliaeth.
Abertawe

pladur

1087   Hen laddwr twf y flwyddyn,
ers hir oes, a roed ar ei fachyn.
Penrhosgarnedd

plas

1088   (Iet y Plas)
Byw gwledig, bod â digon, – byd elw,
a bodolaeth estron
yw pob darn o'r harn yn hon.
Geraint Roberts

plastig

1089 Ac wedyn, dyna'r hollbresennol
A chwbwl anninistriol
Blastig
Plastig
Plastig
I ble, i ble mae'n byd ni'n mynd?
yn gordeddiadau o sgrap
i domennydd ysbwriel
dan ormes plastig.
Gwyn Thomas

1090 Dwi'n gaeth i gartons llaeth llwyd,
ac arianfags y grawnfwyd.
Caeth hyd ddibyniaeth beunydd
i bacs o wyth, i'r bocs sudd.
Eurig Salisbury

1091 *(potel blastig)*
Unwaith i'r llanw cynnes – mi roddais
fy mreuddwyd a'm cyffes,
ni ddaw 'nôl; ond heddiw'n nes
yr un wag ddaeth â'r neges.
Geraint Roberts

plu

1092 Ysgafn ddillad hwyaden,
gosgeiddig wisg addas i gywen.
Roger Jones

pont

1093 Dros ddŵr llydan mae'n cyfannu dwy wlad
a dau lais wrth yrru,
ond o hyd ar darmac du
hanes sy'n ein gwahanu.
Geraint Roberts

1094 *(Arwisgiad Ail Bont Hafren)*
Wylit Hafren eleni ac wylit
gywilydd dan gorddi.
Ein Llyw, fe wylit un lli'n
Irfon meirwon Cilmeri.
Aneirin Karadog

potsian

1095 Piltran ag injan yw'r gêm,
neu egsôst, bygs y system,
trwsio hen ffanbelt rasiwr,
troi sgriws heb ecsgiws mae'r gŵr,
troi fel y bu'n troi, un tro,
y cannoedd sgriws Meccano,
... mi wn
am botsian mewn cynghanedd,
cyfri llawer sill o'm sedd
a thrwsio, cynllunio llên,
creu wrth dincro â'r awen.
Eurig Salisbury

reffarî

1096 Llo ellyll cibddall hollol, iâr o ddyn
na ŵyr ddim am ffwtbol ...
Ronald Griffith

rhyw

1097 Rwyt ti, f'anwylyd sanctaidd, yn llawn o ryw
fel tiwlip dwfn yn ffrwydro dan fom yr haul.
Bobi Jones

Sat Nav

1098 Yr arf ar siwrnai hirfaith, a oes Llyw,
a oes llais Cydymaith ...
yn dy gynnal di ganwaith?
Y Cŵps

sbarclar

1099 Noson chwil o liwiau chwâl ...
Menna Thomas

sêr

1100 Ni all Herod, ŵr lloerig, na'i filwyr,
drwy fawl y Nadolig,
ddiffodd Seren arbennig
nad yw'n dial na dal dig.
Aneirin Karadog

1101 Yr un yw sêr nos o ha'
â sêr ar nos o eira.
Tudur Dylan Jones

Siôn a Siân

1102 *(mewn tŷ tywydd)*
Pan ddaw bloedd drycinoedd cas – yna'n siŵr
    Daw'r hen Siôn o'i balas,
   Ond pan geir heulwen eirias
    Â Siôn i mewn – daw Siân ma's.
T. Llew Jones

Sioni bob ochr

1103 Y diawl sy'n anwadalach
bob awr na thin babi bach.
J. Arnold Jones

tawelwch

1104 Y peth anoddaf am y bywyd mynachaidd
yw'r tawelwch.
Nid y diffyg siarad; nid y peidio â sgwrsio
dros frecwast; nid y prinder clecs i swper.
Ond y grisiau swnllyd, y lloriau gwichlyd,
sŵn allweddi a chlep parhaus y drysau.
Dafydd John Pritchard

teledu

1105 Byrhau hen wae y gaea'
a wna hon gyda nos o ddrama.
John Davies

1106 O fyw ar echel y gadair freichiau
wedi ei drwytho mewn byd o rithiau,
y daith anochel ar draws sianelau
yw hanes seithug ei holl nosweithiau ...
Llion Jones

tipi

1107 Tŷ rownd i bobol trendi.
Dic Jones

traddodiad

1108 Rhain yw dyfodol yr hen dafodau,
yn gân eu gwerin mewn gwên a geiriau
ac yn llên yr awen iau ar y daith ...
Tudur Dylan Jones

1109 Ein traddodiad hardd ydyw,
yr hen ddweud o'r newydd yw.
Gerallt Lloyd Owen

traffordd

1110 Â'n syth fel gwayw'n saethu
i galon diymgeledd Cymru.
Victor John

trawst

1111 Hen bren sy'n gwrthod breuhau
er y crecian a'r craciau.
Aber Clwyd

trwyn

1112 Rhyw fodd daeth lliw rhyfeddach
i drwyn Ben o wydryn bach.
Huw Selwyn Owen

tudalen

1113 Delid ar fud dudalen
eco ein llais, llais ein llên.
Tregarth

tŷ haf

1114 Dialedd Heledd yw hyn ...
    Yn tywys y pentewyn
    Liw nos i Gynddylan Wyn.
Ieuan Wyn

y We

1115 Zap! Zap! Zap! ydy'r rhythm sydd
yn hyrddio sioe yr hwyrddydd
o sgrin i sgrin yn un sgrech
diddymdra lled-ddiymdrech
o oddef oriau diddim
y gwylio taer a gweld dim.
Llion Jones

ysbienddrych

1116 A gwna gregyn o greigiau.
Gwynfor ab Ifor

ysgol

1117 Nid adeilad o dawelwch yw'r gaer
    a gewch pan gyrhaeddwch,
      hyder iaith rhwng muriau'n drwch
      a seiliau oes a welwch.
Aneirin Karadog

ysgol Gymraeg

1118 Ym mawrlif y mewnlifiad
pwy a rif ddyddiau'n parhad?
Vernon Jones

ysgub

1119 Mae hud yr hau a'r medi,
A mawredd y tymhorau ynddi.
T. Llew Jones

ystrydeb

1120 Am hen drawiad – 'Mae'n drewi
fel rhech wleb', 'na'i hateb hi.
Hywel Griffiths

1121 Haws troedio tir ystrydeb
Na rhynnu'n noeth yn nhir neb.
Huw Meirion Edwards

1122 'Wyn ddi-glem, 'wy'n brydydd gwlad,
ond rwy'n driw i hen drawiad.
Owen James

13. Profiad

1123 Profais o iasau'r byd, heb grwydro ymhell
wrth sugno o rin cynefin faeth fy mro
drwy'r trist a'r llawen, y gwych, y gwael, y gwell,
daeth Bethel, a daeth Peniel yn eu tro.
Derwyn Jones

adwy

1124 Gochel wneud y bwlch yn ddeufwy
Wrth dorri draenen i gau'r adwy.
Dic Jones

1125 Prif nod yr ymosodydd,
A lle'r dewr rhag colli'r dydd.
T. Llew Jones

1126 Yn ein hoes ddisafiad ni,
rhy hawdd yw dyfod drwyddi.
Crannog

angor

1127 Nid oes angor rhagorach
yn y byd na baban bach.
Huw Erith

1128 Ym maith ymchwyddiadau'r môr
a'r ing, mae gwerth yr angor.
Edward Jones

1129 Clywais yno stori'r dryllio,
Y waedd am help a neb yn malio,
Ac yn chwilfriw ar y glannau
Bydd broc môr y torcalonnau
Ond angor fawr i'm cadw fydd dy feichiau di.
Gwyn Erfyl

amynedd
1130 Buan y denir annoeth,
Yn ara' deg y daw'r doeth.
T. Llew Jones

anrhydedd
1131 Diddim yw anrhydeddau;
nid yw bri yn ddim ond brau.
Donald Evans

1132 **ar chwâl**
Creais fydoedd yn fy mhen
i 'mherswadio'n hun nad oeddwn
mor unig ag y tybiwn. Methais,
ac yn anialwch yr enaid
gwyliais ysgerbydau camelod
yn melynu'n araf yn yr haul.
Elan Grug Muse

arwain
1133 Arwain dŵr, nid ei yrru
A wna'r craff yn drech na'r cry'.
Dic Jones

aur
1134 Y geriach bach ym mhob oes,
y rheini yw aur einioes.
Donald Evans

awydd
1135 A fo fwyaf ei awydd,
Mwyaf oll ei siom a fydd.
Dic Jones

baw

1136 Y neb a wêl werth mewn baw
aur a ddeil ar ei ddwylaw.
John Glyn Jones

cadernid

1137 Nid cau dwrn yw cadernid.
Idwal Lloyd

clust

1138 Os dwy glust
    Ac un tafod,
Dwbwl yr ust
    A hanner y trafod.
Dic Jones

cuddio

1139 Ni chuddir yn hir gan neb
yr hyn sydd dan yr wyneb.
Donald Evans

cwys

1140 O gŵys i gŵys, bob yn gam,
cae ŷd ddaw'n darmacadam.
Aron Pritchard

cyfoeth

1141 Nid cyfoeth yw byd moethus,
nid pleser yw llawnder llys.
D. J. Thomas

1142 Oni ddewisi fyw'n ddoeth,
ofer yw byd o gyfoeth.
Nia Powell

cyfrifoldeb

1143 Ynghyd â dyblu dy dâl,
deufaes sy'n dyblu d'ofal.
Gerallt Lloyd Owen

cyfrinach

1144 Heb ei dweud, dim byd ydyw,
Ond o ddweud ei diwedd yw.
Dic Jones

1145 Nid yw cyfrinach y doeth
i'w rhannu gyda'r annoeth.
Tudur Dylan Jones

cyngor

1146 A thrysor yw cyngor call,
rhan o aur rhywun arall.
John Lloyd Jones

cysgod

1147 Mud wyliwr, dôi i'm dilyn – yn hwyr gynt
    Gan greu gwae ar blentyn ...
    Ac ofn y dirgel elyn.
T. Llew Jones

1148 Y dyn yn dy sgidiau di
a anwyd ddydd dy eni.
Iwan Rhys

1149 Yn blentyn bach, fe ddotiwn
at sioe ddelweddau hud
heb gymorth ffilm na chamerâu,
nac amlgyfrwng drud.

Ond pared, a dychymyg,
a bysedd chwim a chain
yn creu patrymau gwibiog
mor llyfn â lliain main ...

Mae dwylo'r un a'm swynodd
a'i sioe yn oer, ers tro,
a chysgod nad yw'n cilio
yw siâp ei golli o.
Annes Glynn

chwilio

1150 I chwilio rhaid herio o hyd,
i chwilio rhaid dychwelyd.
Tudur Dylan Jones

1151 Sut allwch chi guddio
os nad oes neb yn chwilio?
Mererid Hopwood

dial

1152 Ni all a heuo drallod
atal y dial sy'n dod.
Iorwerth H. Lloyd

1153 Trwy'r byd onid torri bedd
wna dial yn y diwedd?
Preseli

dianc

1154 I ble yr ei di, fab y fföedigaeth,
A'th gar salŵn yn hymian ar y rhiw
A lludded yn dy lygaid? ...
Gwilym R. Jones

drws

1155 Oni fedd ei allwedd o,
y dieithr nid yw'n mynd drwyddo.
Idris Reynolds

dur

1156 Arf o aur ni chymer fin;
Rhagorach yw dur gwerin.
D. J. Jones

dŵr

1157 Er hwb pob dyfais a chred
Nid â dŵr ond i waered.
Nia Powell

dwyn

1158 Ond pan ddygo ffrind dy waled
Nid y pres yw'r fwyaf colled.
Dic Jones

dysg

1159 Wedi dysg diwyd ysgol
nid â neb i'r wlad yn ôl.
Gwilym R. Tilsley

eco

1160 Daw yr alaw yr eilwaith
Ac yna'n dipyn gwannach deirgwaith.
Dic Jones

ffordd

1161 Ffordd lydan sy'n arwain at faes y gad,
ffordd gul sy'n dod tua thre.
Mererid Hopwood

gohirio

1162 Onid yw'n werth gwneud yn awr,
Diwerth yw gwneud mewn dwyawr.
Dic Jones

grym

1163 Boddha rym, a bydd ar waith;
amau grym a'i gyr ymaith.
Eurig Salisbury

gwres

1164 Ond heno,
a'r clymau'n cau,
fe'i gwelaf yn glir –
nid yr haul rydd wres
ar aelwyd
ond glo mân
a'i hanes hir.
Sian Owen

#gŵylybanc

1165 Boncyrs yw dathlu'r banciau
a fu'n chwalu'r bur hoff bau.
Llion Jones

lladd

1166 A yw lladd yn bechod llai
i lofrudd yn ei lifrai?
Tudur Puw

1167 Y mae syrffed yn well lladdwr
ar chwant na newyn.
Islwyn Ffowc Elis

meddwl

1168 Un a faidd ddweud ei feddwl
yw dyn dewr neu adyn dwl.
Idwal Lloyd

moesymgrymu

1169 I ddyn craff nad yw'n ddyn cry'
mae grym mewn moesymgrymu.
Einion Evans

mynd

1170 Af yn nhraed fy sanau,
af â hoel y baw rhwng fy modiau,
af dan chwerthin fy nghnul,
af â'r mynyddoedd yn fy llygaid,
af a phlannu fy nyddiau'n felyn eto
ac awn yn driawd fel o'r blaen.
Marged Tudur

ofer

1171   Ofer ddawn i farddoni a gefais ...
       ofer pob dim a roed imi
       yn y byd hwn hebot ti.
    T. Arfon Williams

y Pethe

1172   Clymau gwarchod traddodiad – yn cynnal
          Cenedl rhag dilead ...
       Hen feini prawf ein parhad.
    Ieuan Wyn

pwyll

1173   I arbed ateb byrbwyll
    da i bawb funud o bwyll.
    D. Gwyn Evans

sefyll

1174   Mae'r sawl a saif ar ei draed ei hun
    Yn debyg o ddamsang traed sawl un.
    Dic Jones

1175   Sefwch gyda mi yn y bwlch,
    fel y cadwer i'r oesoedd a ddêl y glendid a fu.
    Saunders Lewis

segur

1176   Fe aiff cyhyr seguryd
    Yn wannach, wannach o hyd.
    Dic Jones

siom

1177   Pluen eira cariad
    yn disgyn yn dawel
    a gorffwys
    ar gwarel fy nghalon ...
    Menna Thomas

sŵn

1178   Nid oes sŵn heb glust i sain.
    Medwyn Jones

symud tŷ

1179   Wedi oriau o dwrio, – wedi hel
       ei dyled a'i llwytho,
      daw eilwaith – nid â dwylo –
    i drin y celfi'n y co'.
    Tony Bianchi

teyrnged

1180 Ond y mae un rhosyn ar arch
yn cofio mwy na'r cyfarch.
Dinbych

tir

1181 Pan gollir tir, collir cof,
a'r iaith gan hynny'n frithgof;
trwy angau cof daw tranc iaith
yr hil nas genir eilwaith.

Undod yw'r tafod â'r tir;
undod yw'r iaith â'r gweundir.
Alan Llwyd

14. Cynefin

Aber-fan

1182 *(Cofrestr Ysgol Pant-glas – yr ysgol a lyncwyd gan domen lo)*
Hen friw y gri foreol – a dreiddia
drwy'r huddyg pentrefol
yn ddieiriau fyddarol:
nid oedd neb yn ateb 'nôl.
Gruffudd Owen

afon

1183 Fe fu'r haf ar Daf, a'i des
yn Nhreganna'n gynnes;
dan haul ein Cymreictod ni,
mor hawdd fu ymroi iddi ...
Llŷr Gwyn Lewis

1184 Mae pob afon yn cronni
ei dial o'i hatal hi.
Gerallt Lloyd Owen

1185 *(R. S. Thomas)*
Mi oedd R.S. yn iawn,
llifo i'r dwyrain wna afonydd Cymru.
Hywel Griffiths

Afon Wen

1186 Mi af oddi yma i Afon Wen i lle mae pen y llinyn
Sydd rhwng bloedd y dyfroedd du a'r canu'n Hendre Cennin,
Ac os aeth pwyth dy fyd di'n frau, tyr'd dithau yn bererin ...
Twm Morys

alltud

1187 Hogyn Llŷn yn ymbellhau
a'i ryddid yn ddiwreiddiau.
Gruffudd Owen

1188 I'r neb a gâr fro'i febyd
onid baich yw newid byd?
Alan Llwyd

bro

1189 Darn o wylltion afonydd,
doldir a gweundir a gwŷdd
a goludog aelwydydd.
B. T. Hopkins

1190 Heb ofal maith, diffaith dir
Heb anwyldeb anialdir.
Medwyn Jones

1191 Drwy'r hen fref, cyn bod llefydd ar y map,
    cyn creu mur o lonydd,
    fe wyddai defaid y dydd
    mai eu hŵyn biau'r mynydd.
Tudur Dylan Jones

Caerdydd

1192 Cerddaf ar lan yr afon
heddiw'n swil, a'r 'ddinas hon'
yn ddinas na feddianaf
mohoni chwaith, am na chaf
ynddi hi'r un esmwythâd
erbyn hyn, nac eneiniad.
Emyr Lewis

1193 *(I Gruffudd Owen prifardd Cadair Eisteddfod Genedlaethol Caerdydd)*
Gruffudd, rhagorai uffern
Ar hyn o sin! Heb rin sêr
Na lloer, heb ymgynnull iaith,
Heb un haf, heb win afiaith,
Dinas anghymdeithasol
Nad yw'n tecstio heno'n ôl ...

A daeni, Gruff, d'adenydd?
Cefna ar ddistopia Caerdydd!
Eurig Salisbury

Cardi

1194 Yn ei sir i hir dario
      boed Cardi, corgi a'r cob.
      Ceredigion

carreg filltir

1195 Roedd arni enwau trefi
      nad awn ni iddynt mwy,
      carreg fedd i oes fu'n byw
      ar farchnad plwy i blwy.
      Myrddin ap Dafydd

Cilmeri

1196 Fin nos, fan hyn
      Lladdwyd Llywelyn.
      Fyth nid anghofiaf hyn.
      Gerallt Lloyd Owen

1197 Daeth saith canrif ynghyd
      yn oerfel Cilmeri,
      a dail yn diferu atgofion.
      Iwan Llwyd

1198 Hanner lle bob tro.
      Glaswellt wedi ei dorri
      ond heb ei hel.
      Dau hysbysfwrdd newydd
      yn dweud hanner yr hanes ...

      Lle yn bwrpasol ar ei hanner
      yw Cilmeri.
      Rhag ofn i ni feiddio cofio gormod.
      Aled Lewis Evans

Clawdd Offa

1199 Nid wal sy'n rhannu dwywlad, – na dwrn dur ...
          Nid rhith o glawdd trothwy gwlad,
          Nid tyweirch ond dyhead.
      Dic Jones

cwm

1200 (Cwm Celyn)
      Ailagor craith i'r eithaf
      A wnaeth Cwm yr hirlwm haf.
      Elwyn Edwards

1201 Mae anaf yn y mynydd – a grafwyd
      gan gryfion lifogydd
   iâ ...
Dic Jones

1202 *(Cwm Gwaun)*
Mae fel hotel ym mhob tŷ,
hotel a neb yn talu.
Tydfor

1203 Rwy'n chwilio am y Cwm
Tu draw i'r cymoedd ...

Roedd mwy o flas ar fyw,
A deufwy gwyrdach oedd y dail
Pan oedd y ddaear yn ieuengach.
Gwilym R. Jones

cymdeithas
1204 Amod iaith yw cymdeithas.
Gerallt Lloyd Owen

cymdogaeth
1205 Lle bo cydweithio rhwng dau
gymydog y mae edau
rhyngddynt o berthyn; tra bo
edau wrth edau'n cydio,
diogel yw'r aelwyd glòs,
deugae'r gymuned agos.
Alan Llwyd

1206 *(cymoedd glo)*
Mae marc y Cwm fel nod ar ddafad arnaf,
acen, y Rhyfel Mawr, y Streic Fawr,
yr Ysgol Sabothol a'r tip glo.
Cynefin â ffowndri, sinema, cae-ffwtbol, bandrwm
a Chymanfa Ganu ...
yr hwteri hurt, olwynion, peiriannau, tramiau,
a'r pwll digywilydd.
Rhydwen Williams

cynefin
1207 Dychwel y fforest dros hen orchestwaith
morthwyl ac eingion dynion diweniaith.
Robat Powell

1208   Hen arfer sydd heb ddarfod,
a'r hen dir o'r lle'r wy'n dod.
John Eric Hughes

1209   Mae'n codi ofn
y sôn sy'n lledu
am ailwampio, ailsiapo,
ailwylltio'r elltydd
ailblannu'r dolydd.

A be wnawn â'r mynydd wedyn?
Dadwisgo'r maeth
dadwreiddio'r pridd
dadwneud
dad-ddysgu
dad-ddofi?
Megan Elenid Lewis

1210   Ni byddaf yn siŵr pwy ydwyf yn iawn
Mewn iseldiroedd bras di-fawn ...

Ond gwn pwy wyf, os caf innau fryn
A mawndir a phabwyr a chraig a llyn.
T. H. Parry-Williams

1211   Ni roddwyd Daearyddiaeth i'r oenig ...
ond dod heb wybod wnaeth
o hen ysgol cynhysgaeth.
R. O. Williams

1212   Ond cyndyn wyf i ollwng un cornelyn
O'r etifeddiaeth hon o gyrraedd llaw
Rhag crwydro fel telynor gyda'i delyn
A thant ar goll, yn chwilio am y traw.
Vernon Jones

Eryri

1213   O Fôn fe welem fynydd
yn wawr dân ar ruddiau'r dydd,
copa dan eiria'n arian
yn y gwyll; llechweddau'n gân
i'r haul, ac Eryri'r ha'
yn em o banorama.
Annes Glynn

Ewrop

1214 Mae Arian am gyfannu ...
  A gwedd rhyw fawredd a fu
  Yn hen go'n ei gwahanu.
Dic Jones

1215 Unwyd Cristion ac annuw, – hen hiliau'r
    Rhyfeloedd a'r distryw;
  Yn ei hanfod, undod yw,
  Rhanedig er hyn ydyw.
Idris Reynolds

ffin

1216 Cans yn y ffin mae ffiniau'r
  bröydd clyd i gyd yn gwau
  yn ei gilydd, yn galw
  am hen iaith i'w clymu hwy.
Hywel Griffiths

1217 Ni'n cael *bad press*, ni yn,
  yma ar y ffin.
  Mae puryddion iaith *actually*
  yn poen yn y tin.
  Be 'dan nhw ddim yn sylweddoli, *like*
  ydy mai fi a fy mêts sy' yma ar y *front line*.
  Without us
  there'd be no Fro Gymraeg.
Aled Lewis Evans

1218 Rheffyn gwawn yw'r ffiniau gynt
  a brau fel edau ydynt.
  Y mae'r ffin megis llinell
  dŵr y môr ar drai ymhell.
Alan Llwyd

ffridd

1219 Tir anial y tarenni, hen redyn
  sy'n brodio'r llechweddi.
Bro Tryweryn

Garn Meini

1220 Mur fy mebyd, Foel Drigarn, Carn Gyfrwy, Tal Mynydd,
  Wrth fy nghefn ym mhob annibyniaeth barn.
Waldo Williams

Hafod Lom

1221   Bu dwylo diwyd yma gynt ...
A chellwair gweision o gylch y bwrdd
Yn gwatwar pryderon y dydd i ffwrdd.
A gwedd doreithog iddi ...

Bu yma groeso ddydd a fu
I bererinion ar eu taith ...

Bu dawn chwedleua yma gynt,
A 'chanu cainc' hyd doriad gwawr ...

Nid oes a gyrch i'r Hafod mwy ...
Derwyn Jones

llynnoedd

1222   Ar waelod oer y llynnoedd heno mae
haen arall eto'n disgyn oddi fry,
mae'r ffrwd o'r ffridd a'r foryd yn pellhau,
ysgarwyd y ffynhonnau bach a'r bae.
Hywel Griffiths

1223   Llygaid difynegiant
yn rhythu o socedi'r fawnog.
Vernon Jones

Llynnoedd Teifi

1224   A lle roedd llynnoedd mae llid
o gleisiau y glaw asid.
Gwenallt Llwyd Ifan

Llys Aberffraw

1225   Llyma dir lle mae dewrion –
A llyma fedd mawredd Môn.
Trefin

Maldwyn

1226   Y mae sir ym Mhowys hen
Sydd ddedwydd fel gardd Eden;
Godidog gan goed ydyw
Hardda un o'r siroedd yw ...
Bro annwyl yw a bryniau
Yn un cylch amdani'n cau.
T. Llew Jones

Morgannwg

1227 Dwy ran sydd i Forgannwg;
Un dan faich llydan o fwg,
Eithr y llall ar drothwy'r lli
A gwedd doreithiog oedd iddi ...

Ond i mi bro lludw a mwg
Yw'r geinaf ym Morgannwg,
Lle mae clytwaith gymdeithas
A gwyrthiol hil y Graith Las!
T. Llew Jones

mynyddoedd

1228 Fynyddoedd llwyd, a gofiwch chwi
helyntion pell y dyddiau gynt?
Iorwerth C. Peate

Nant Gwrtheyrn

1229 Lle uniaith mewn cwm llonydd
lle i ffoi rhag colli ffydd.
Tony Elliot

1230 Os bu'r heniaith yma
Yn llawn nwyf, ei cholli wna
Gwynedd, fel Patagonia.
Rhys Dafis

Patagonia

1231 Yn eu breuddwyd roedd pob rhyw awyddu,
heb waed na phoen, eu bywyd yn ffynnu;
agor maes heb *lord* i'w gormesu:
o dlodi afiach câi'r genedl dyfu
a'r Gymraeg ei mawrygu – heb air croes.
R. Bryn Williams

pentref

1232 Fy hoff hendref o ffeindrwydd ...
pentref cu'r cyd-rannu rhwydd
a phentref diffuantrwydd.
Donald Evans

1233 Gwnaed cofeb o bentre bach,
o gymuned, gwymonach.
Emyr Davies

1234 Iddi hi rhyw gynnydd ddaeth
i dagu'r hen gymdogaeth.
John Hywyn

Prydain

1235 Nid gwlad mo Prydain ond gwledydd a asiwyd
gan flys imperialydd ...
T. James Jones

sgwâr y pentref

1236 Heddiw awn draw'n ddau neu dri
yn yr haul, yn yr un hen gwmni.
Tudur Dylan Jones

Rhos Helyg

1237 Lle bu gardd, lle bu harddwch
Gwelaf lain â'i drain yn drwch.
B. T. Hopkins

Soar y Mynydd

1238 (capel diarffordd ger Tregaron)
Yr oriau gwag yr anghydffurfiol osber
mae yntau'n rhan o Gymru 'Salem' Vosper.
John Roderick Rees

traeth

1239 Ffrâm aur am saffir y môr.
T. Arfon Williams

tref

1240 A'r hogia llygaid barcud, efo'u sŵn a'u rhegi mawr,
y rhain sy' piau pafin pob un stryd,
ond y rhain a'u hiaith eu hunain sy'n cadw'r dref yn fyw,
fel pob tref ddifyr arall yn y byd.
Meirion MacIntyre Huws

Tryweryn

1241 (Ffenics – cofeb John Meirion Morris)
Aderyn y tosturi, ar adain
friwedig fe godi
o lwch ein llonyddwch ni
yn dy dân i'n dadeni.
Alan Llwyd

1242 Cododd yn ôl, ddrychiolaeth Tryweryn
trwy'r ha' aur fel alaeth
o'r dŵr am ein cyflwr caeth.
Donald Evans

1243 Dim ond dŵr, dŵr didaro yn donnau
     diwyneb, ond eto,
      yn hwn, bob dafn ohono,
      mae llif pob canrif o'n co'.
Gerallt Lloyd Owen

1244 Y mae 'Cofier Tryweryn' ar y wal
er mor hen, fel burgyn,
yn dal i boenydio dyn.
Moses Glyn Jones

1245 Y tŵr oer uwch Tryweryn – a erys,
     yn arwydd diderfyn
      fod gwŷr tawel Cwm Celyn
      yn eu lle dan ddŵr y llyn.
Gruffudd Owen

Y Bae

1246 Mae dau fae, y mae dau fyd:
lle'r galon, a lle'r golud.
Y lle sy'n rhannu'n lliwiau,
a lle balch deglliw y Bae.
Emyr Lewis

Y Dref Wen

1247 Y Dref Wen yn y dyffryn,
heno heb arf nac offeryn.
Tecwyn Ifan

Y Fenai

1248 Er bod holl swildod y sêr
hyd dy wyneb llyfn tyner ...
Islaw'r ddôr i'th seler ddu
sawl llofrudd s'gen ti'n cuddio?
Sawl cân? Sawl enaid? Sawl co'?
Meirion MacIntyre Huws

Ynys Enlli

1249 Sarn lwyd y gwŷr breuddwydiol – yn tywys
     Tua'r llain ddelfrydol;
      Ar ei daith i'r tir dethol
      Ni thariai neb, na throi'n ôl.
T. Llew Jones

Ynys yr Hud

1250 O fewn ei thalaith nid oes gwenieithu,
Na geiriau amwys na moesymgrymu,
Na galar yn gywely – na nwyd gaeth,
Na gefyn hiraeth, nac ofn yfory.
T. Llew Jones

Afallon

1251 A chwilio am Ynys Afallon:
heno 'does dim lle bu
ond cerrynt y môr a thonnau
creulon y llanw du.
Iwan Llwyd

14.1. Y môr

1252 A'r don yn deilchion, heno daeth
o'r môr furmuron llawn hiraeth.
Peredur Lynch

1253 Ewyn y lli fel crochan llaeth
yn gylch am gwch eu bywoliaeth.
Aberystwyth

1254 Hon yw iaith y môr a wna
fynd ymaith heb fynd o'ma;
y lôn gyfyng lawn gofod,
y darlun bas dyfna'n bod.
Ceri Wyn Jones

1255 Meddwyn oedd y môr
yn baglu fel ffŵl yn drwsgwl ar draws
ei draed ei hun wrth gyrraedd y lan,
wrth i'w donnau dorri a chwalu …

ac amser oedd y môr, er na wyddwn hynny
pan oedd pob heddiw yn heddiw diddiwedd,
pob dydd yn dragywydd gynt.
Alan Llwyd

1256 A glannau gwag eleni – yw'r aelwyd
Lle'r ymwrola'r cenlli,
Ond erys tonnau'r stori
Yn wyn o hyd ynom ni.
Ieuan Wyn Jones

1257 Min y môr yw'r man gorau
Gennyf fi a hi'n hwyrhau.
T. Llew Jones

1258   Tarddle'r dechreuad ...
a dynion yn gorfoleddu ym marwolaeth y môr.
Einir Jones

1259   Tyrd yma i'r wylfa, a'r hwyr
yn sianel i bob synnwyr,
i weld y môr a'i gerddoriaeth
yn taro ril ar y traeth.
Iwan Llwyd

1260   Yn ei ddig neu'n ei ddiogi
Min y môr yw'r man i mi.
Dic Jones

15. Bwyd a diod

barbeciw

1261   Er rhoi uwch golosg yn drwch, y cibàbs
a'r stêc bîff a'r cimwch,
oherwydd difaterwch,
a gwin, maent yn llosgi'n llwch.
John Glyn Jones

bwrdd

1262   Heddiw'r wledd sy' ar fwrdd-ar-lin
a gwag yw bwrdd y gegin.
John Glyn Jones

byrger

1263   *(Byrger i Fardd)*
Rho ar hast mewn bocs plastig
ddwy haenen o'r gacen gig
a rhyw dwtsh o bupur du
a chaws sydd wedi chwysu,
na chwardd, a lapia'r barddfwyd
mewn byn ...
Emyr Lewis

cawl

1264   Powlen magwraeth hyd y fyl ...
... a'i llond o faeth ...
hen esgyrn ein cynhysgaeth.
Llambed

cebab

1265   Hawdd cael *kebab* yn Aber –
        ei lyncu, hynny sy'n her!
        Hywel Griffiths

cwpan te

1266   Bu hwn yn gysur beunydd
        a gwresog ei groeso'n dragywydd.
        Tan-y-groes

cwrw

1267   'Ginis' mae pawb yn 'ganu, yn enfys
            anferth o barablu;
          hynod i Arthur fynnu
           ei wneud oll yn wyn a du.
        Twm Morys

1268   Mae maeth mewn llaeth
        ond mwyaf twrw – cwrw.
        John Roderick Rees

1269   Ond y bŵs sy'n codi bôrs
        yr yfed sy'n creu prifors.
        Myrddin ap Dafydd

diod

1270   Daw'r ddiod â rhodd ddeuol:
        huawdl wyf wrth siarad lol.
        Emyr Davies

1271   Hwn yw mam y cam a'r celwydd,
        Lladd a lladrad, ac anlladrwydd,
        Gwna gryf yn wan a gwan yn wannach
        Y ffel yn ffôl a'r ffôl yn ffolach.
        Dic Jones

1272   I'r trwm ei ben, i'r henwr,
        gwell clod i ddiod o ddŵr.
        Llŷr Gwyn Lewis

1273   O! anfarwol ddiferyn ...
          ti yw'r wefr, ond ti, er hyn,
          yw'r bradwr bore wedyn.
        Meirion MacIntyre Huws

gwin

1274 Ymson y galon yw'r gwin,
nodd gwirionedd y grawnwin.
Idris Reynolds

hufen iâ

1275 (knickerbocker glory)
Brân o bwdin
yn nesáu,
a'n llygaid mor fawr
â'r geiriosen
sy'n goron ar y gŵr –
cawr, sy'n llawer mwy
na'n stumogau
un prynhawn.
Llion Pryderi Roberts

iogwrt

1276 Hen rinwedd prin yr enwyn, y surni
sy' arno a ennyn ...
sawr i gof o'r amser gwyn.
Y Bala

sglodion

1277 Anodd yw gwrthod rhoddion ...
Ond, O! na wrthodai hon,
Ein gwlad, y blydi sglodion.
Idris Reynolds

swper

1278 Heno mae'n ras a hanner, pawb â'i blât ...
tŷ â blas at fwyta blêr,
pawb â'i bryd, pawb â'i bryder.
Y Tir Mawr

1279 Lle estron heb sŵn llestri
yw swper ein hamser ni.
Emyr Davies

tec-a-wê

1280 Gwledd haws i'r tŷ a gawsom, têc-a-wê
yw'r bwyd dot com ...
Emyr Davies

MYNEGAI

MYNEGAI

LLYFRYDDIAETH DDETHOL

Ab Ifor, Gwynfor
Gwaddol, Cyhoeddiadau Barddas, 2019

Ap Dafydd, Myrddin
Bore Newydd, Gwasg Carreg Gwalch, 2008
Cerddi Cyntaf, Gwasg Carreg Gwalch, 2006
Pen Draw'r Tir, Gwasg Carreg Gwalch, 1998
Pentre Du, Pentre Gwyn, Gwasg Carreg Gwalch, 2019

Ap Gwilym, Gwyn a Llwyd, Alan
(goln.) *Blodeugerdd o Farddoniaeth Gymraeg yr Ugeinfed Ganrif*,
Gwasg Gomer/Cyhoeddiadau Barddas, 1987

Ap Hywel, Elin
Dal i Fod, Cyhoeddiadau Barddas, 2020

Bianchi, Tony
Rhwng Pladur a Blaguryn, Cyhoeddiadau Barddas, 2018

Edwards, Huw Meirion
Lygad yn Llygad, Gwasg y Bwthyn, 2013

Elfyn, Menna
Bondo, Bloodaxe Books, 2017
Merch Perygl – Cerddi Menna Elfyn 1976-2011, Gwasg Gomer, 2011

Evans, Aled Lewis
Amheus o Angylion, Cyhoeddiadau Barddas, 2011
Llinynnau, Cyhoeddiadau Barddas, 2016

Evans, Donald
Y Cyntefig Cyfoes, Cyhoeddiadau Barddas, 2000

George, Mari
Siarad Siafins, Gwasg Carreg Gwalch, 2014

Glynn, Annes
Hel Hadau Gwawn, Cyhoeddiadau Barddas, 2017

Griffiths, Hywel
Banerog, Y Lolfa, 2009
Llif Coch Awst, Cyhoeddiadau Barddas, 2017

Hopwood, Mererid
(gol.) *Cerddi'r Cof*, Y Dref Wen, 2008
Nes Draw, Gwasg Gomer, 2015

Huws, Meirion MacIntyre
Y Llong Wen, Gwasg Carreg Gwalch, 2006
Melyn, Gwasg Carreg Gwalch, 2004

Iorwerth, Rhys
un stribedyn bach, Gwasg Carreg Gwalch, 2014

James, Christine
rhwng y llinellau, Cyhoeddiadau Barddas, 2013

Jones, Ceri Wyn
Dauwynebog, Gwasg Gomer, 2007
(gol.) *Dic yr Henre: Detholiad o Farddoniaeth Dic Jones*, Gwasg Gomer, 2010

Jones, Cyril
Eco'r Gweld, Cyhoeddiadau Barddas, 2012

Jones, Derwyn
Cerddi Derwyn Jones, Cyhoeddiadau Barddas, 1992

Jones, Eleri Ellis
(gol.) *Sbectol Inc*, Y Lolfa, 1995

Jones, John Glyn
Trwm ac Ysgafn, Cyhoeddiadau Barddas, 2010

Jones, John Gwilym, a Jones, Tudur Dylan
am yn ail, Cyhoeddiadau Barddas, 2021

Jones, Tudur Dylan
Adenydd, Cyhoeddiadau Barddas, 2001
(gol.) *Fesul Gair: Blodeugerdd Barddoniaeth*, Gwasg Gomer, 2015

Jones, T. James
Nawr, Cyhoeddiadau Barddas, 2008
O Barc Nest, Cyhoeddiadau Barddas, 1997

Jones, T. Llew
Y Fro Eithinog, Gwasg Gomer, 2015

LLYFRYDDIAETH DDETHOL

Karadog, Aneirin
Bylchau, Cyhoeddiadau Barddas, 2016
Llafargan, Cyhoeddiadau Barddas, 2019

Lewis, Emyr
Amser Amherffaith/Dysgu Deud Celwydd yn Tsiec, Gwasg Carreg Gwalch, 2004
twt lol, Gwasg Carreg Gwalch, 2018

Lewis, Gwyneth
Tair Mewn Un: Cerddi Detholedig, Cyhoeddiadau Barddas, 2005
Treiglo, Cyhoeddiadau Barddas, 2017

Lewis, Llŷr Gwyn
Storm ar Wyneb yr Haul, Cyhoeddiadau Barddas, 2014

Lloyd Owen, Gerallt
Cerddi'r Cywilydd, Gwasg Gwynedd, 1990
Cilmeri a Cherddi Eraill, Gwasg Gwynedd, 1991
Y Gân Olaf, Cyhoeddiadau Barddas, 2015
(gol.) *Pigion Talwrn y Beirdd 1-12*, Cyhoeddiadau Barddas

Llwyd, Alan
Cerddi: yr ail gasgliad cyflawn, Cyhoeddiadau Barddas, 2020
Cyfnos, Cyhoeddiadau Barddas, 2023
Cyrraedd a Cherddi Eraill, Cyhoeddiadau Barddas, 2018

Llwyd Ifan, Gwenallt
DNA, Cyhoeddiadau Barddas, 2014

Morys, Twm
Ofn Fy Het, Cyhoeddiadau Barddas, 1995

Muse, Elan Grug
Ar Ddisberod, Gwasg Carreg Gwalch, 2013

Northey, Sian
Trwy Ddyddiadu Gwydr, Gwasg Carreg Gwalch, 2013

Owen, Gruffudd
Hel llus yn y glaw, Cyhoeddiadau Barddas, 2015

Owen, Karen
Siarad trwy'i het, Cyhoeddiadau Barddas, 2015

Pritchard, Dafydd John
Lôn Fain, Cyhoeddiadau Barddas, 2013

Reynolds, Idris
Ar Ben y Lôn, Gwasg Gomer, 2019
Ar Lan y Môr, Gwasg Gomer, 1994
(gol.) *Rhwng Teifi, Dyfi a'r Don*, Cyhoeddiadau Barddas, 2021

Roberts, Emrys
Rhaffau, Cyhoeddiadau Barddas, 1992

Roberts, Geraint
Desg Lydan, Cyhoeddiadau Barddas, 2020

Roberts, Llion Pryderi
Tipiadau, Cyhoeddiadau Barddas, 2018

Salisbury, Eurig
Llyfr Glas Eurig, Cyhoeddiadau Barddas, 2008
Llyfr Gwyrdd Ystwyth, Cyhoeddiadau Barddas, 2020

Thomas, Gwyn
Apocalups Yfory, Cyhoeddiadau Barddas, 2005
Croesi Traeth, Gwasg Gee, 1994
Murmuron Tragwyddoldeb, Cyhoeddiadau Barddas, 2010
Profiadau Inter Galactig, Cyhoeddiadau Barddas, 2013

Tudur, Marged
Mynd, Gwasg Carreg Gwalch, 2020

Wiliam, Casia
Eiliad ac Einioes, Cyhoeddiadau Barddas, 2003

Wyn, Ieuan
Llanw a Thrai, Gwasg Gwalia, 1989

Wyn Reynolds, Elinor
Anwyddoldeb, Cyhoeddiadau Barddas, 2022
(gol.) *Mwy o Hoff Gerddi Cymru*, Gwasg Gomer, 2010